Les comptes de ma mémoire

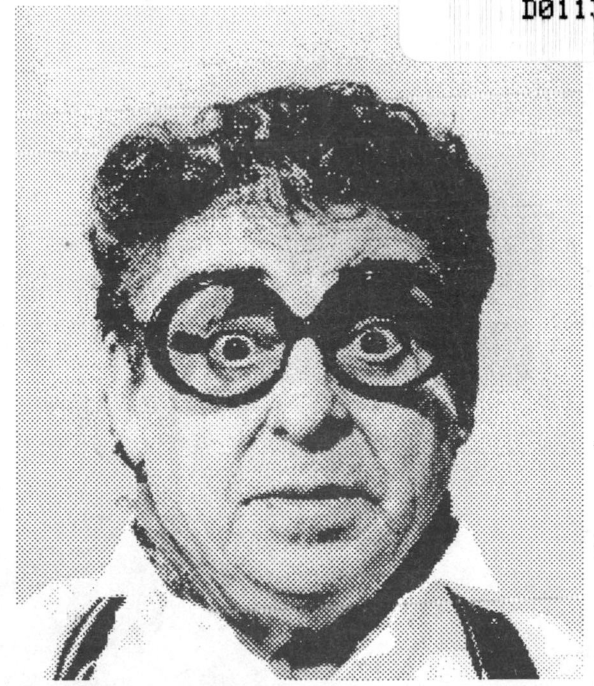

Données de catalogage avant publication (Canada)

Buissonneau, Paul, 1926-
Les comptes de ma mémoire
Autobiographie.
ISBN 2-7604-0383-1
1. Buissonneau, Paul, 1926- -Enfance et jeunesse.
2. Acteurs - Québec (Province) - Biographies.
3. Producteurs et metteurs en scène de théâtre - Québec (Province) - Biographies. I. Titre.
PN2308.B84A3 1991 792'.092 C91-096433-5

Photos: Jean-Marie Bioteau
Conception graphique et montage: Olivier Lasser

ISBN 2-7604-0383-1

Dépôt légal: deuxième trimestre 1991

IMPRIMÉ AU QUÉBEC (CANADA)

PAUL BUISSONNEAU

Les comptes de ma mémoire

À LIRE TOUT HAUT

Stanké

TABLE DES MATIÈRES

Prologue *7*
Lever de rideau *8*

Les privilèges *9*
Prénatalité! Petits cauchemars des jours difficiles *13*
Le baptême *17*
Ode à ma sœur Odette *21*
HLM *ou* la maison de la culture *25*
Les couleurs de l'innocence *29*
1936: le difficile accouchement d'un vélocipède *35*
Grandeur et misères d'un écolier sous-doué ... *41*
Le sexisme *ou* les reines du foyer *53*
Flotte petit drapeau... pauvreté, égalité, fraternité *57*
Les soirées chez l'oncle Henri *69*
Un bedeau pour deux cierges *75*
La nuit des fous *81*

Petite prière pour briser le miroir 93
Il faut que jeunesse se tasse 95
Les restrictions alimentaires *ou* tout pour un
ticket de pain 105
La gale du pain 117
Les comiques troupiers 125
Rencontre avec Paul Claudel 129
Odeurs d'enfance 133
Ma petite patrie le XIIIe 135
Suite et grand final au récit de Théramène *ou*
encore divagations d'un recyclé de l'art
dramat! 147
Portrait robot de mon frère 151
Lettre à des femmes aimées 153
Les excentricités d'un flamant rose 155
Odeurs anciennes 165
Il est né le divin enfant 167
La fiesta chez Mandine 171
La bouffe! 175
Jalousie (sur un air connu) 179
Le club des gros 183
Un nègre en sous-sol mineur 189
Le retour à la terre *ou* le pouce vert! 197
Les concours de circonstances 201

Épilogue *ou* le «last call» 207

PROLOGUE

J'ai retrouvé, en traversant le Québec, une partie de ma vie en chanson. Il m'a donné le goût de l'écriture, le goût du radotage, le goût de la parlure, et c'est sa faute si j'ai trouvé jouissance à peindre mot à mot des images anciennes portées par la musique.

Écrire pour imaginer et faire naître des choses selon des normes et aussitôt réinventer les règles du jeu de l'écriture pour s'évader de soi-même et se regarder de l'extérieur. Je me suis rencontré aujourd'hui. Quelle confrontation! Je m'aime, je ne m'aime pas? Quoi faire? Quelle angoisse! Alors je réintègre ma propre peau pour m'y sentir mieux et j'exorcise ma peur en parlant des autres, de ceux qui me font peur. Les inconnus pas trop connus, je les transforme et les réinvente: tristes, gais, fins ou ridicules, je les installe dans mon imaginaire magique pour les étudier, les comprendre et, peut-être, les aimer.

Ce livre appartient à tous les vieux enfants du monde, car les souvenirs de jeunesse sont les mêmes partout. Images à colorier à votre convenance.

LEVER DE RIDEAU

L'écriture donne tous les droits, à l'image de Dieu. Ainsi, est-il dangereux ce stylo si fragile qui permet les égarements de l'homme dans ses affabulations hallucinatoires. Cette plume, trempée dans l'encrier de l'imaginaire, coule au rythme de la vie et retrace les images les plus profondes d'une mémoire perdue.

L'humanité, plus nulle que jamais, engoncée jusqu'à la fin des temps dans les détritus posthumes et nucléaires, se paye une petite fin du monde au ralenti. La boule restée intacte se gruge de l'intérieur; l'énorme fosse septique est enfin toute remplie! Inconscients, sans question, sans problème, la tête dans la lune et les deux pieds dans la merde, nous regardions les ébats de nos valeureux cosmonautes, nous enviions ces pêcheurs de lune, ces déviergeurs d'espace, tout en sachant que le caca allait monter d'un cran.

On inventa les «Verts», plus avancés que les autres. Verts de peur, ils étaient, et furent les premiers à chier dedans leur froc; en sabots, ils ont valsé le retour à la terre et relancé la mode biologique, l'inscrivant en priorité au fronton des années deux mille: notre fin ou notre renouveau, retrouvailles peut-être du paradis perdu!

Alors, comme tout est recommencement, sans ménagement, et comme je connais l'histoire, je me tape la pomme; j'écrase la queue du serpent et avec ma côte en moins, je baise cette nana que je ne connais ni d'Ève ni d'Adam.

Les privilèges

Je me trouvais privilégié par rapport à mes camarades qui n'avaient chez eux que toilettes turques et autres cabinets archaïques que certains d'entre eux partageaient même avec les voisins.

Grisé d'orgueil, je me sentais grimpé d'une case dans notre fameuse hiérarchie française: orgueil de celui qui possède l'aisance, d'où le nom du précieux cabinet. On l'appelait aussi *water-closet* pour les utilisateurs bilingues. J'étais donc des plus heureux d'avoir chez nous ce cabinet providentiel.

Pourquoi ce besoin de toujours être au-dessus des autres?

C'est une question qui se posa à moi, un certain jour où je flânais à l'intérieur du lieu magique.

Ces petites différences révèlent forcément une mentalité de compétition. Grimper, coûte que coûte, à cette échelle sociale où certains barreaux nous sont obligatoirement alloués sans toutefois connaître le pourquoi de cet arrêt obligatoire.

Réflexion faite, ces petites différences, ces comparaisons de chiottes n'étaient peut-être qu'une question de style. Je faisais quand même partie des privilégiés. Le logement de famille possédait sa cuvette immaculée et son beigne de bois poli, encaustiqué par les soins d'une maman besogneuse.

Aussi je n'ai jamais envié personne. Me contentant de n'être que moi-même, accroché comme les autres au barreau que l'on m'avait assigné, fier de posséder notre toilette privée et, aveuglé par cet avantage, je ne regardais même plus au-dessus de moi le barreau supérieur m'accrochant désespérément à ma barre fixe. Je mettais mon énergie à rêver à de fulgurantes improvisations sur des espoirs que seul un prince ou un fils de bourgeois peuvent entrevoir quant à leur avenir personnel...

Non, je n'ai rien envié chez les autres. Ni l'or, ni l'argent, ni la force, ni l'âge, ni la beauté, ni même l'intelligence et, encore moins, les super salles de toilettes à tourbillons. M'acceptant comme Dieu m'avait voulu, né six ans après le plus jeune de mes frères par l'entremise charnelle d'Andréa Martin et de Lucien Buissonneau, mes géniteurs de service, je me demande toujours à qui dois-je mon innocence? À Dieu lui-même ou aux deux autres? J'avoue que si c'est à mes parents, ils sont impardonnables, car ils étaient deux pour y penser.

Je m'appelle
Paul Georges Buissonneau.

Prénatalité! Petits cauchemars des jours difficiles

J'ai rencontré le Roi des fous! Sur sa tête une couronne de vent, une barbe aux fins cheveux de petite fille, de grands yeux vagues perdus dans les nuages. «Viens avec moi!» Je l'ai suivi. Ma cervelle fond et toutes choses tournent dans des échos de cathédrale! L'imaginaire défile dans l'irréel! Une étoile, un berger qui pleure, des pétales de fleurs, une petite mariée pieds nus, un flambeau d'or massif qui tombe et perce les nuages... il pleut des étoiles filantes.

Dans ma tête des abeilles se cognent à ma nuit; il y a des chiens, il y a des chats, il y a des linottes sans tête. Plus de plancher, plus de plafond, plus de murs! Le silence des couleurs, des ronds qui tournent, un gros cube qui s'écrase. Des lunes en croissant se croisent, des savants, des poètes, des enfants aux regards vides qui ne parlent plus.

Dans ma tête les abeilles me piquent; le mal est là, j'ouvre la bouche et la ruche se vide. Elles sortent nombreuses, je les suis. Elles sont aussi grosses que moi, la boîte de mon cerveau me brûle.

Plus de silence: les oiseaux et les couleurs hurlent; le chat me griffe, les chiens me mordent. Les savants, les poètes, les enfants ricanent. J'appelle le Roi des fous; il regarde ailleurs, les yeux creux. Il a vieilli, sa barbe est blanche. Je ne suis plus qu'un cercle, qu'un bruit, qu'une couleur.

Je hurle et je plonge dans un trou noir...

J'ai toujours mangé des bananes. Jeune garçon, c'est la seule chose que je savais digérer et jusqu'à ce jour, je me suis demandé, si cela était dû à un manque de potassium ou à la criante possibilité de descendre des singes du zoo du Jardin des plantes, lequel se situait à la limite de mon quartier, au sud-est de Paris.

Je m'appelle Paul Georges Buissonneau, né le matin d'un 24 décembre 1926 à 2 h 10. Je suis le cadet d'une famille de cinq petits vieux, déjà, dont j'aurais dû être le sixième, celui qui me précédait étant mort d'une méningite, une maladie qui réglementait les naissances à une époque où la pilule n'existait pas encore.

Je ne suis qu'un vieil orphelin jamais consolé. Je vous dis adieu, père, mère, frères, sœur. Adieu donc parents! Adieu, vous, les Macintosh de mon destin fragile. Adieu 1939-1940, date fatidique où la famille s'éteignit. Je pense à vous depuis longtemps, vous connaissant à peine, vous, les partis trop tôt.

Le baptême

«Démon, éloigne-toi car le jugement de Dieu approche...»

Ces terribles paroles jetées à la volée résonnaient sous les voûtes de l'église pour retomber lourdement sur l'assistance recueillie qui entourait les fonts baptismaux.

Nous en étions à l'initiation d'un innocent. L'innocent, c'était moi.

Noyé dans une hécatombe liturgique et dans un charabia que je ne finirai jamais par comprendre, je faisais mon entrée dans le monde.

Un avatar pour la famille. Malgré mon jeune âge, je sentais déjà que j'étais en trop et que mon frère, qui était le cadet avant ma naissance, aurait dû s'appeler «Terminus». Je chialais donc à larmes chaudes sur mes conditions de futur catéchumène non désiré et, pour me venger, pissais par tous les bords mon amer chagrin sur ma bonne fée porteuse qui, avec dédain, m'éloignait d'elle. Elle refoulait ce faux ange au bout de ses deux bras, comme une offrande eucharistique! Aura-t-elle deviné, la maraude, que ce diable d'enfant la bénissait déjà avec son goupillon devenu catholique?

Je la bénissais, elle, la sainte femme qui devenait ma marraine pour le meilleur et pour le pire.

Elle était la bonté même et ce titre, elle l'aurait sans aucun doute porté sur sa figure s'il n'y avait eu aux quatre points cardinaux de sa sainte face, comme un signe de croix, quatre verrues rébarbatives qui n'avaient toutefois pas l'air de l'importuner.

Cette vieille fille célibataire conservait avec précaution son handicap comme symbole et sauvegarde d'une virginité pourtant inattaquable et rebutait quelque peu le moindre prétendant des moins difficiles.

Cette bonté mise à part, ces verrues se lisaient dès l'abord sur le visage de ma fée-marraine. Et j'imagine aujourd'hui que la cornette des sœurs de la Charité aurait sans doute mis plus en valeur cette sainteté naturelle en atténuant ses monstrueux grains de beauté.

Charitable, elle l'était sans effort et toutes ses qualités chrétiennes me semblaient inaccessibles. Je ne sentais grandir en moi qu'une tendance à ne devenir qu'un petit maudit.

À chacune de ses apparitions chez nous, c'était un martyre pour moi de répondre à ses pieuses avances.

Ma mère m'obligeait du regard aux embrassades de cette fée-marraine qui, au fur et à mesure de nos rencontres, devenait plus sorcière que fée. J'aurais sûrement changé de religion pour pouvoir changer de marraine.

Que d'appréhension lorsque j'attendais sa visite! Dès son entrée mon œil exacerbé devenait téléobjectif. Je cadrais alors les quatre verrues grâce à ce zoom automatique qui transformait en une seconde ces quatre excroissances en d'énormes et incroyables truffes aux poils tire-bouchonnés dont les extrémités, tels des dards agressifs, me visaient comme dans un choix définitif.

Les yeux agrandis, je dévisageais ces verrues géantes aux poils comme des lances toutes prêtes à me darder le cuir.

Mademoiselle Louise se garrochait alors sur mon visage poupin comme un *Messer Schmidt* en attaque piquée. Je fermais mes deux yeux, respiration coupée, pour mieux ressentir les effets dévastateurs des quatre verrues catholiques. Chaque fois, je ressortais de ces épineuses embrassades la face déviergée. Rouge et violacée, ma peau n'avait plus l'air d'une peau mais d'un cactus auquel on aurait arraché les épines pour tresser la fameuse couronne de la Passion. Ces courts instants d'une lourde intensité me laissaient abasourdi et pantois, car j'étais certain que ma bonne marraine m'injectait une dope maudite pour m'empoisonner. Malgré moi, petit masochiste pratiquant, elle devenait peu à peu ma bien-aimée sorcière. J'avais beau répéter les incantations de mon baptême: «Démon, éloigne-toi car le jugement de Dieu approche...», ça ne servait à rien! Je n'ai jamais réussi à la faire disparaître...

Ode à ma sœur Odette

En bout de table, en déséquilibre, ma sœur se balançait lentement d'avant en arrière. Un sourire niais fleurissait sa bouche à moitié ouverte; les yeux mi-clos, elle délirait déjà dans le sommeil du juste.

«Odette! va te coucher», lui criait soudain ma pauvre mère. Trois fois déjà dans la même soirée, elle était tombée le visage dans son assiette de soupe, ce qui agaçait fortement le chef de famille. Quant à mes frères, habitués aux masques incongrus qui camouflaient ma sœur lors de ces soupers du soir, ils ne portaient plus attention à ses gags accidentels et surtout beaucoup trop usés.

Cela me donnait une raison de traîner devant mon assiette; je n'aimais pas la soupe autant qu'Odette et ses surprises m'amusaient et me ravissaient encore. Ses masques étaient toujours différents selon les légumes que ma mère mettait dans le potage et ce qui agaçait les autres pouvait encore amuser le gamin que j'étais. Tel un Protée de cuisine, ma sœur se transformait selon les arrivages du marché: un poireau en moustache, deux rondelles de carottes à la place des yeux, colorées, dégoulinantes. Nous avions la commedia dell'arte chez nous.

Une Pasionaria de l'innocence. Elle aurait dû entrer dans les ordres au lieu d'entrer dans ses soupes, comme certains le souhaitaient; mais elle a pris sa petite vie à deux bras, elle a vécu à côté de son siècle, comme d'autres pieds nus à côté de leurs chaussettes.

Elle est démodée, c'est sa force désarmante, poursuivant avec un acharnement borné la seule vision qui doit la mener là où on le décide pour elle! Vieille fille avant la lettre, catherinette de naissance, elle est bienheureuse sur ses vieux jours et je sais que ce bonheur a été payé très cher, sans questionnement, sans rancune ni frustration, sans désespérance, vivant au jour le jour.

Elle s'est sauvée de la révolte, sans perdre de temps à ressasser ses malheurs et mettant bout à bout ses espoirs perdus pour mieux les oublier et repartir de zéro. Elle est abeille veuve, en ruche miniature, butineuse à toujours trouver le temps de vivre pour les autres. Mais comme le monde est imparfait, il fallait bien que ma sœur le soit un peu, elle aussi. Je lui reproche son goût pour les films cuculs, reflets peut-être de sa propre condition, exorcisant par le cinéma la médiocrité de la vie.

Ainsi, ma sœur d'avant-guerre m'en a-t-elle fait voir de ces films sinistres du dimanche après-midi. Il sait, lui, le lot des enfants qui s'ennuient ce jour-là. Combien m'en a-t-elle volé de ces galopades du Far-West, de cow-boys et d'Indiens qui se poursuivent les uns les autres, chacun leur tour, en tiraillant flèches et balles! Hécatombe des salles obscures où les Blancs et les Rouges meurent pêle-mêle, mélangés comme des frères. Seuls les chevaux de cinéma sont immortels.

Ce sont ces films que j'espérais revoir à chaque congé hebdomadaire... Mais nous allions pleurer aux *Misérables* et, comme c'est à elle que ma mère donnait l'argent de nos places, j'étais obligé de la suivre. Je les ai toutes vues, les petites vues simplettes des années trente. Sans doute pour me venger, je remuais comme un beau diable sur mon siège en commentant tout haut les images pour ennuyer ma sœur. De minables photos, crachées goutte à goutte par un projecteur trop bruyant. Il couvrait mal le brouhaha de cette salle populaire qui mouchait, toussait, pleurait devant le malheur des autres à défaut de pleurer sur les siens. À la sortie, les yeux rouges, mouchoir trempé, ravalant son émotion sans un mot, ma sœur m'achetait un chocolat glacé. Pour la remercier, j'évitais de la questionner sur ses deux yeux rougis. Discret, je me farcissais la friandise en me posant quand même des questions en silence, essayant de comprendre pourquoi ma grande sœur allait au cinéma s'apitoyer sur les malheurs des autres et sur ceux du «Petit chose*» en particulier.

---

* *Le Petit Chose*: titre d'un film mélodramatique et larmoyant qui eut un succès fou dans les salles populaires.

HLM ou *la maison de la culture*

Debout le long de la cuisinière à charbon, aimanté à la barre protectrice du poêle, je pleure à chaudes larmes. Mes larmes tombent sur la fonte polie, sans bruit et roulent comme des billes jusqu'au trou où le feu gigote. Un trou piège où, un instant, mon chagrin s'oublie. Une larme s'y engouffre suicidant mon immense peine d'enfant en tablier noir; noir aussi, le poêle; noir aussi, le charbon. Seul le deuil sied à l'instant...

Je pleure, je pleure... Je pleure sur les roses blanches qu'un disque à succès roucoule comme à tous les dimanches à la radio de mes-chers-auditeurs. Ma grande sœur chante, là, près du poêle, autre témoin de son talent à remplir les mouchoirs.

Elle y met tout son cœur, la sainte nitouche et, en direct, elle me susurre de bouche à oreille, les couplets et refrains de ce drame *floralien*.

Initiatrice convaincue que l'art populaire ne se fait pas sans mal, elle jubile et, cabotine, elle force la note en escamotant les moments les moins larmoyants de la chanson...

Elle n'interprète plus; elle inculque en moi, larme après larme, mes premières émotions culturelles. Elle en sourit, bienheureuse...

«As-tu fini de faire pleurer l'petit?» C'est ma mère, la tonitruante! (C'est d'famille.) Mes dernières larmes tombent en chapelet aux enfers du poêle et, à travers mes yeux embués, je vois l'image de ma sœur sursautant sous l'impact sonore, déraillant de la chansonnette et reprenant conscience. «Allez au lit!», clame ma mère de sa voix stridente. Encore engourdi de chagrin, j'ai l'impression vague que maman vient d'inventer la tyrolienne!

Ma sœur déguerpit, déconfite, et ronchonne. Ma mère me regarde... «Qu'est-ce qu'elle t'a encore raconté?» Je me jette sur ses seins mous si chauds, si rares. Elle tousse, elle tousse...

Le charbon rouge dans le poêle — ou est-ce le vent dans sa cheminée? — ronronne une mélopée qui ressemble étrangement à

C'est aujourd'hui dimanche,
tiens, ma jolie maman;
voici des roses blanches...

Les couleurs de l'innocence

Juché sur les genoux du père qui siégeait en bout de table, à quatre ans, je dominais tous ces adolescents en grève de la faim.

Difficiles à nourrir, les enfants Buissonneau! Maman ne savait plus où donner de la soupière pour les repas du soir.

Moi, je me sentais important! Je trônais sur mon père dont les moustaches longues me caressaient en me chatouillant les oreilles à chaque fois qu'il approchait sa bouche de la cuillère. Dans son assiette creuse, un bouillon-gras-bouillant blanchissait un quart de livre de viande hachée qu'il dégustait poivré-salé. Cela ressemblait à un méchant remède ou à une pouture qui n'avait rien d'appétissant.

Pas plus en appétit que les autres, j'étais fier d'être si près de ce père que je connaissais peu. J'avais la sensation de posséder un peu du pouvoir paternel, immunité suprême, qui permet de refuser la soupe impopulaire. Je sentais que ce père d'occasion n'était là qu'en transit. Je profitais sans vergogne de cette situation pour m'associer aux autres et délaisser la soupe méprisée par tous.

Et puis, un matin, tout le monde a teint ses chaussures en noir, tous ensemble, sans concertation. C'était arrivé comme la pluie. Ma mère, en pleurant, noircissait les miennes devenues aussi noires que nos habits tout noirs, de retour de chez le teinturier. Maman nous avait dit, devant cette noirceur subite, qu'il fallait s'en accommoder, que le noir de nos habits allait avec celui de nos souliers; elle semblait avoir raison!

Tout le monde cirait donc ses chaussures ce matin-là, sans discussion, sans rouspétance, attendant dans une attitude équivoque et suspecte l'arrivée d'un certain mystère.

Ma mère pleurait dans son coin.

Et ce jour ressemblait à un jour de fête.

Au dehors, sous les eaux que déversait le ciel, naissait une végétation de parapluies divers qui semblaient se cogner les uns aux autres et rebondir comme un jeu de boules interminable.

En bas de la maison, du monde, il y en avait plein! On me regardait d'une façon bizarre; j'étais le «Roi de la fête». Maman, discrète, était disparue derrière le voile de son chapeau; on nous saluait de partout avec une déférence inhabituelle. Je sus, dès cet instant, que quelque chose avait changé et je pris sur moi de croire à cette soudaine importance de notre famille. Il me fallait apporter à cet événement tout le sérieux qui lui convenait. Je serais digne de cet héritage.

Une grande automobile, ouverte à tous les vents, engouffra d'un coup le cousin André, sa femme, la tante Eugénie, l'oncle Henri, les enfants Buissonneau et leur mère inconsolable qui pleurait contre la vitre.

À l'église, des fleurs, des fleurs partout; de vraies fleurs, de toutes les couleurs, de toutes les espèces, qui s'en iront mourir bientôt. Des fleurs en perles dans des couronnes magnifiques, brillantes comme le lustre de la tante Nini, ruisselantes des gouttelettes de pluie qui tombaient pour sympathiser avec notre peine.

Les fleurs de perles sont celles que je préfère; elles sont immortelles.

Un parfum d'encens, de fleurs et de manteaux mouillés remplissait déjà à ras bord mon fragile estomac; mon cœur se soulevait et maman pleurait.

Accoté sur elle, j'étais fasciné par les coulures des cierges qui percutaient le sol de marbre, sans bruit: la cire refroidie se transformait en de petites billes figées et, sur cette répétition à l'infini, je finis par m'endormir.

Beaucoup de gens m'ont embrassé; mes joues sont restées collantes... «Ce doit être ma fête?» J'allais vers mes cinq ans...

On est remontés dans la grande voiture qui nous a emportés vers le grand champ où il y a des croix partout. Durant cette traversée, je regardais pleurer le ciel, pleurer ma mère et pleurer la famille.

Croix de pierre, croix de bois, croix de fer; il y en avait beaucoup dans ce grand champ où il n'y avait jamais personne.

Il pleuvait, maman pleurait sur moi, à larmes chaudes, à larmes froides, à larmes de saison. Les larmes attirant les larmes, le goût de pleurer me serrait la gorge, mais des couleurs ont soudain captivé mon attention...

Une procession de fleurs marchait là, devant nous... et puis... un grand trou noir, vidé de la terre qui le remplissait; sur le côté, une petite montagne...

Une boîte de bois alla prendre sa place dans ce trou noir et vide... longue, étroite et pas très épaisse.

Lentement, comme à regret, elle s'enfonça et disparut sous une pluie de fleurs fraîches et d'eau glacée... La foule, silencieuse, se sépara comme une courtepointe aux coutures vieillies. Discrètement, morceau par morceau, elle disparut sous cette pluie qui pleurait encore, qui pleurait encore avec maman.

De retour à la maison, j'ai rêvé, bercé par les sanglots de ma mère, au beau visage de papa noyé dans un bouillon jaune et bouillant qui blanchissait, blanchissait...

1936 : le difficile accouchement d'un vélocipède

Chez nous, il était de mise de conserver ses choses le plus longtemps possible. Pour y arriver, j'étais toujours en avance, de deux ou trois pointures au-dessus de ma taille, ce qui détermina très tôt ma vocation de clown.

Il en fut de même pour une bicyclette que la famille au grand complet avait décidé de m'offrir à condition, bien sûr, de rester dans la note et de trouver toutes les pièces dans les marchés aux puces du réseau parisien. Des bouts de pièces détachées, comme les morceaux d'un casse-tête en trois dimensions! Une création collective pour le petit dernier.

Ils se partagèrent une longue liste d'équipements à se procurer. Choix disparate! Restants d'un holocauste du petit monde à deux roues. Ce fut bientôt chez nous «la foire à la ferraille». Des morceaux de vélo, il y en avait partout; il a bien fallu qu'un frère se dévoue. Consacré vélociste, mon plus jeune frère mit corps et âme à tirer de ces cochonneries métalliques la fameuse «petite reine» destinée à accompagner les promenades de mes dimanches...

Ah! si vous aviez pu voir l'engin bricolé astucieusement avec des trucs sans cul ni tête, deux roues dissemblables en forme de lunettes, un hybride de bicycle, un modèle pour Picasso!

Et la honte du tour de France!

Le jour du grand soir, quand je l'ai découverte, aussi rouge que moi et plus brillante que les boules de Noël, j'ai eu un choc.

Je n'ai pleuré sur l'épaule de personne, mais devant toute la famille attendrie par mes sensibleries de petit dernier. Pourtant, mon chagrin ne ressemblait en rien à ces trop-pleins de bonheur qui font quelquefois déborder les glandes lacrymales des êtres sensiblards, non! C'était plutôt une rage contenue, un grand désespoir d'enfant devant la ridicule résurrection des morceaux rassemblés qui n'ont jamais réussi à faire un tout.

C'est pourtant par gentillesse qu'ils avaient produit cette pièce montée sans allure. Un cadeau qui me faisait déjà honte.

Cela prit un temps fou avant qu'il m'apprivoise: c'était un vélo à regarder, pas à monter dessus, «un âne de vélo», pas «un vélo cheval»!

Le cadre était si lourd que je soupçonne, sans vouloir le connaître, celui ou celle qui l'a trouvé d'avoir coulé du plomb à l'intérieur en disant: «Comme ça, le petit ne sera pas tenté de faire de la vitesse.» De ce côté, point de danger! Je ne courserai jamais avec cet engin-là. Par contre, grâce à lui, j'ai développé tôt une paire de mollets de la grosseur de ma ceinture. L'avantage du vélo lourd, c'est de développer le bas du corps.

Quant à la selle, en tranche de melon fait d'un cuir plus rigide que le cadre d'acier lui-même, elle avait dans sa partie la moins évasée, là où se fait le partage des fesses, une arête plus acérée que la lame d'un couteau. Cette arête pénétrait vos caleçons jusqu'au plus intime. Un moment si désagréable et si incommodant qu'il était presque préférable de pédaler en danseuse, c'est-à-dire debout sur les pédales et sans toucher à ce machin, dans un inlassable mouvement toujours désinvolte, de gauche à droite, de droite à gauche! À la longue, un mouvement un tantinet répétitif mais, au moins, permettant aux fesses de se reposer. De même pour cette partie externe de notre corps qui ne trouve jamais cet endroit confortable, en raison sans doute de l'extrémité toujours trop étroite de la selle, d'une étroitesse telle que les valseuses en liberté ne savent jamais de quel côté aller et qu'elles n'ont aucune chance de trouver là un reposoir souhaitable.

Quant aux pédales, parlons-en! Avec leurs dents de scie afin d'éviter que le pied ne glisse, elles séparaient mes deux souliers en quatre morceaux, grâce aux efforts répétés de mes jambes pédaleuses. Sur le guidon, une sonnette agressive; un seul frein, défectueux; aucun garde-boue sur ce bâtard de vélo. Les jours de mauvais temps, donc, la roue arrière me barbouillait, et jusque dans la nuque, de tous les détritus de la chaussée mouillée.

Pour m'éclairer le soir, une lampe à acétylène démodée, inutilisable, qui branlait à l'avant de mon guidon en forme de moustache gauloise.

La fourche *s'effouèrait*, lamentable, couchée vers l'avant sur une roue monstrueuse qu'elle semblait ralentir, une roue de quatre centimètres plus haute que celle de l'arrière, une roue hésitante qui avait toujours l'air de chercher son chemin.

Sur les chambres à air, j'ai pu voir à maintes occasions les innombrables tatouages formés par les rustines que leurs propriétaires successifs avaient collées dessus pour camoufler les trous. Saucisses rosissantes, toutes piquées, tel un *accro* drogué en phase terminale.

Où est-elle cette garce qui m'a donné tout ce bon temps?

Où est-elle cette ébauche de vélo qui, fidèle, ne m'a jamais lâché... tout à fait?

Les varices de ses chambres à air épuisées parfois cherchaient le clou pour un suicide impitoyable... elles s'essoufflaient alors dans une lente agonie, sifflant sur une note leur dernière ballade.

Jamais ce vélo ne m'a laissé tomber. Ce paquet de ferraille m'a donné plus de joie que toutes les mécaniques compliquées que j'ai eues par la suite. Sans soins, sans lumière, il a sans doute fini dans une cave inconnue ou peut-être a-t-il été maintes fois racheté par ces petits revendeurs à la sauvette des marchés aux puces du réseau parisien... Juste retour aux sources du trottoir d'où on l'avait tiré!

De temps en temps, il me revient pourtant, en détails furtifs, des images de ces grandes virées où nous allions, ensemble, cueillir la jonquille au printemps de mes quinze ans... Je regrette souvent le temps des bicyclettes.

Grandeur et misères d'un écolier sous-doué

Deux kilomètres de murs construits en des temps où la main-d'œuvre était bon marché. Deux murs parallèles, comme un tunnel, me conduisaient à l'école. Il était impossible de se tromper de chemin ou de faire l'école buissonnière: les deux murs me tenaient en laisse. Protecteurs d'usines désaffectées, ces murs étaient noircis par des fumées anciennes, patinés par le siècle, crevassés par le temps.

Ils encadraient la rue de Gentilly et chaque soir des lampadaires au gaz éclairaient, d'une lueur verdâtre, les pipis desséchés des quidams de passage, pris de court. Écoliers, nous évitions savamment à cloche-pied les coulisses serpentines et, pour aller en classe, nous étions obligés de traverser cette marelle insalubre, sur une patte ou sur l'autre, pour arriver intacts jusqu'au ciel de l'école Baudricourt.

Cette valse hésitation présageait déjà nos futurs choix politiques. Quelquefois, le matin, nous croisions le responsable du nettoyage, casquette de cuir et tablier bleu, fonctionnaire d'un balai docile qui poussait les crottes de chien dans l'eau mousseuse du caniveau; en tourbillonnant, elles allaient disparaître dans la prochaine bouche d'un égout béat.

Ces murs trop longs étaient notre tableau noir, notre mur de caverne, notre Lascaux sans toit et nous y inscrivions la légende de nos révoltes, de nos hargnes et de notre condition d'enfants de n'être rien du tout. Ces réactions prenaient forme dans les symboles sexuels que nous y apposions. Ces murs qui se faisaient face se sont longtemps regardés lisant et relisant les immondices de nos révoltes enfantines, de nos pamphlets insignifiants. Peut-être témoignaient-ils de notre découverte d'un monde auquel nous ne nous attendions pas, un monde fait pour les adultes, un monde fragile où le manque flagrant de liberté faisait de nous les esclaves de nos familles, et de tous les caïds qui viendront après. Pour finir, les esclaves du plus grand de tous, le recommandeur général qui, à son tour, nous réclamera des comptes.

C'est pour nous venger du présent et de l'avenir que la rue était devenue notre tribune officielle. Toute une panoplie des appareils reproducteurs y faisaient la haie, de chaque côté, pêle-mêle. Les murs étaient couverts de nos graffiti qui se voulaient cocasses, directement taillés à bout de bras dans le mortier noirci. Ces crayonnages et rondes-bosses ne laissaient aucun doute sur nos mentalités de vilains garnements, de petits salauds, de vicelards possédés du démon.

Toute une pornographie en mineur s'étalait sans gêne sur cette fresque commune. Les sexes se confondaient dans une inextricable danse païenne qui rendait ces demoiselles, nos sœurs, folles de honte lorsqu'elles nous accompagnaient à l'école. Le cœur et la fesse y faisaient bon ménage et une poésie de vespasienne aux fautes d'orthographe énormes, bien plus grosses encore que les pénis géants que nous y dessinions, décorait avec bonne humeur les pans de ces murs.

Les chasseurs de sexe croquaient sur notre tableau les exploits des organes génitaux mâles et femelles largement déformés par nos imaginations fébriles. Gestuelle infernale pour puceaux obsédés.

Nous trouvions bien fadasses les planches anatomiques, de grandeur presque nature, lorsque le professeur déroulait devant nous comme un cadeau, ces reproductions asexuées. Il croyait sans doute nous émoustiller en dévoilant ces images avec une lenteur de strip-tease pépère, images qui, devant nos rires gras et sonores, se réenroulaient elles-mêmes pour se cacher, honteuses, de nos moqueries et quolibets de dégénérés.

Durant la récréation, les jeux habituels ne nous retenaient pas plus de cinq minutes à la fois. Les variétés se passaient dans le fond du jardin du directeur jardinier. Se fiant à nos aspects tranquilles, il croyait que l'on admirait ses tomates; mais nous suivions, tout un groupe, les enjeux d'un phénomène: l'affreux Raymond qui, pour quelques sous, avait le cœur de gober vivant le plus gros escargot trouvé dans les salades. Son qualificatif d'affreux n'avait rien de commun avec sa spécialité de gobeur mais plus certainement avec un entêtement bizarre de toujours vouloir garder la morve au nez.

Il ne semblait vivre que sur ces reniflements irréguliers, sa façon à lui, peut-être, de s'accaparer l'oxygène. Sa gourme nous écœurait en première rencontre mais, comme tout n'est que question d'habitude, on oubliait facilement sa verte moustache.

Lorsqu'il avait trouvé dans ce jardin l'article désiré, une coquille grisâtre décorée de son labyrinthe et grosse comme une balle de ping-pong d'où dégoulinait une espèce de limace grise dont le bout du plus long morceau était pourvu de deux petites cornes gigotantes, Raymond ouvrait toute grande une méchante bouche et, d'un geste prompt, s'envoyait le tout dans les noirceurs de son gosier. Il croquait sans dégoût et nous entendions les croutch! croutch! de ses mauvaises dents envoyer aux enfers de ses tripes le malheureux colimaçon. Puis, satisfait et fier, il toisait de haut nos mines dégoûtées. Nous n'avons jamais su s'il faisait la différence entre sa morve permanente et le gentil animal.

Elle ne nous incommodait en rien cette chandelle persistante, à peine si nous la remarquions et, n'eût été de ce reniflement continuel pour la remonter à son orifice originel, peut-être l'aurions-nous oubliée. Un seul ne l'oubliait pas: notre prof, lui, l'avait toujours devant les yeux, même si le «Raymond» siégeait en fond de classe. Obsédé, écœuré par cette mèche mobile qui faisait l'ascenseur selon son bon vouloir, notre prof dans tous ses états s'écriait à bout: «Monsieur Raymond! Veuillez sortir s'il vous plaît et cesser de faire aller ce dégoûtant yoyo qui pend sous votre nez... Allez vous moucher!»

Raymond, toujours conciliant, sortait alors pour sa balade quotidienne. À l'aise, il nous adressait un petit salut satisfait et disparaissait dans la nature de la communale. En pensée, nous suivions son périple, toujours le même, car le mur de notre école était mitoyen avec une gare de triage et nous savions que Raymond n'avait que l'embarras du choix. Le passage de ce mur représentait pour tous la barrière d'une liberté que nous n'oserions jamais franchir; Raymond, lui, n'avait rien de notre morale étriquée et, pour ce morveux, le jeu en valait bien sa chandelle.

Nos professeurs féminins n'avaient rien d'affriolant; des mémères, pour la plupart, des vieilles filles bourrées de diplômes à défaut d'autre chose. Seul objet de notre convoitise, une infirmière de cinéma, une *pin-up* toute de blanc vêtue que dix classes se partageaient. C'était à qui s'inventerait un bobo ou, au besoin, s'entaillerait un doigt pour aller en consultation chez notre divine soigneuse. Mon truc à moi, c'était le coup de la température, un «vrai» mensonge qui trouvait sa source dans un tempérament toujours un peu fiévreux et qui me servait dans ces occasions-là.

Inspirée, elle me touchait le front tout en regardant quelques mouches au plafond qui jouaient à saute-mouton ou à quelque chose de moins anodin, pendant que ses deux seins fermes et pointus semblaient guetter mes deux oreilles menteuses à l'image d'un Pinocchio qui n'était certes pas de bois. J'étais soulagé lorsqu'elle me faisait allonger sur le ventre. Elle dégrafait alors mes petits pantalons de velours brun et, à la fin de ce déshabillage forcé, j'étais défloré par ce maudit petit tube gradué qui cataloguait bassement mes humeurs intestines. Mon brûlant amour pour la belle infirmière aurait dû, à mon sens, faire éclater tous les thermomètres existant alentour. Nous partagions, le thermomètre rectal et moi-même, la bienfaisante chaleur d'un radiateur voisin et, pour faire durer la consultation, le derrière tourné vers lui, j'arrivais sans trop de mal à faire grimper le mercure argenté et ainsi prouver à l'ardent objet de mon désir que mon amour dépassait les 40 degrés.

Elle était trop belle pour avoir une psychologie à la mesure de mon amour incompris.

Elle ne s'attardait que sur les chiffres qu'elle voyait redescendre lorsqu'elle me surveillait de plus près. Alors, d'une main experte, elle arrachait le petit appareil et me commandait d'aller me rhabiller.

Adolescent incompris, je rentrais dans la classe en me composant un visage ravi pour emmerder les autres mais, dans le fond de moi, j'aurais voulu mourir d'amour si cela n'avait pas été aussi dur... Pourquoi aussi me priver du plaisir, de rêver à elle...

Le samedi midi, mes deux motards de frères venaient me cueillir à la sortie des classes. Cela n'arrivait pas souvent mais, lorsqu'ils étaient là, à cheval sur leur bécane, deux énormes BSA, cheveux gominés comme Tino, chemise Lacoste claire et pantalon à pattes d'éléphant s'élargissant vers le bas pour flotter au vent de la vitesse comme les méchants garçons du cinéma des Gobelins, ma fierté n'avait plus de bornes. Je sentais comme une montée de tendresse pour mes deux grands frères en même temps qu'une peur affreuse que je n'avouais jamais de crainte qu'ils ne viennent plus me chercher.

Je grimpais d'un bond sur le siège arrière serrant mes deux genoux de chaque côté de la selle et, agrippé à sa poignée, je cachais ma peur devant les enfants de l'école qui me dévisageaient, envieux. Dans leurs yeux je lisais l'énorme envie qu'ils avaient d'être à ma place. Je me raidissais sur le départ trop rapide de mes motards de frères alors que mon corps léger penchait vers l'arrière. En trombe, je quittais le groupe de mes admirateurs, tournant à demi le torse pour un dernier regard. Je ne voyais plus que les couleurs du drapeau de l'école qui flottait au-dessus du nuage qu'avaient laissé les enfumeuses motos.

C'est là, dans cette école, que j'ai été en maternelle. La première fois, j'entrai à reculons pour y passer dix années de ma petite vie d'enfant: maternelle et cours primaire.

Le cœur serré, j'ai refoulé mon chagrin de petit cul, ma mère n'appréciant ni les larmes ni les jérémiades.

Je rentrai en maternelle comme d'autres avant moi l'avaient fait, l'énorme bâtisse de moellons et de briques nous avalant tout cru dès la porte cochère.

Maman s'adressa à une dame de noir vêtue qui semblait offrir ses condoléances aux mères inquiètes. Elle accueillait aussi les petits écoliers qui ressentaient dès cet instant que l'heure n'était plus à la rigolade.

L'automne précoce faisait tomber les feuilles des gros platanes de la cour et leur odeur donnait à cette cérémonie un air de circonstance.

Oppressé, je l'étais, le cœur sur la langue et prêt à le vomir. C'est de là, du reste, que l'on chope vers la cinquième année les prémices de nos futures crises cardiaques de l'âge adulte. C'est le choc!

Ma mère ressentait mon angoisse. Elle se pencha sur moi pour m'embrasser et je lus dans ses yeux les couleurs de l'inquiétude qui grandissait au fur à mesure de l'implacable séparation.

Dans ma gorge serrée, de petits gargouillis, sécrétions sans doute de mes larmes refoulées que je ravalais avec mon angoisse et mes chagrins.

Je vis soudain dans la grande porte qui était devant moi, un des petits panneaux transformé en porte naine, petit panneau sur charnière, tout grand ouvert pour m'y faire entrer et un bras qui me parut énorme, un bras tout seul sans corps qui m'invitait à passer par ce trou de souris, un bras qui n'avait pas de temps à perdre!

Ma mère doucement me poussa vers lui en me murmurant des choses que mes oreilles n'entendaient plus. Je me sentais retenu en arrière et aspiré par le devant. Mon passage fut pénible. Enfin agrafé par le bras racoleur, je m'accouchai moi-même, pour la seconde fois, et je fis une entrée douloureuse dans le monde de l'instruction publique, celui de mes futures relations avec une société disparate dans laquelle il me fallait trouver ma place.

Ainsi, quatre fois par jour, je longeais les murs tristes et sévères de la rue de Gentilly, avec leurs carnavalesques barbouillis que je ne déchiffrais pas encore. Innocent, j'étais plus attiré par les mystères de leurs plaies béantes qui montraient les blessures des moellons tout neufs à l'intérieur de leur ventre crasseux. Je faisais cette rue à pied jusqu'à l'école Baudricourt, nom du célèbre capitaine protecteur de Jeanne d'Arc; une école semblable aux autres... petit drapeau, immortalisé par cet ivrogne d'Utrillo qui était peut-être dès son jeune âge plus porté sur la bouteille que sur l'avenir de son bulletin scolaire. Si je l'avais connu, je l'aurais peut-être envié. Le bleu, blanc et rouge claquait au vent au-dessus du portail d'entrée pour nous rappeler à nous, les cancres de l'avenir, notre nationalité et leur désir de faire de nous des êtres pas trop idiots pour pouvoir travailler de nos deux bras.

Le sexisme ou *les reines du foyer*

D'aussi loin que je me souvienne, nous ne faisions chez nous nulle place au sexisme. L'égalité entre mâle et femelle régnait en maître ou plutôt en maîtresse, car la famille était commandée par une maîtresse femme d'un mètre quarante-sept qui chaussait du trente-quatre et forte en gueule. Madame ma mère devait sûrement tenir de moi! Elle maniait sa tribu avec un sens inné de la répartition des tâches qu'elle nous résonnait avec force voix selon une psychologie puisée dans le petit savoir-faire du légionnaire en campagne.

Il n'y avait pas de revenez-y avec elle! Il n'y avait pas de remise à plus tard! Notre petit monde s'exécutait devant ce Bonaparte de cuisine. Il lui arrivait quand même d'être drôle et charmeuse.

Cette petite femme qui a troqué la mandoline contre le fourneau en s'acoquinant avec mon poète de père avait dû déchanter et désapprendre très tôt ses accords juvéniles, brisant là son amour pour sa mandoline inutile.

Andréa, malgré la majorité mâle dans la famille, ne faisait pas de différence entre sa fille et ses garçons, si bien que j'ai toujours considéré ma sœur comme un frère, ce qui dans un sens a toujours fait l'affaire des deux; ma sœur était bonne fille, toujours prête à me rendre service.

Ainsi en était-il des corvées de charbon divisées entre nous cinq. Malgré son sexe faible, ma sœur n'y échappait pas et, plutôt deux fois qu'une, je m'organisais pour lui conter mes peurs d'enfant dans la cave trop noire. Bonne fille, elle portait ma corvée pendant qu'avec précaution, j'éclairais les marches pour elle. J'admirais alors ses petits mollets ronds et athlétiques, tous deux modelés par les douze escaliers de nos six étages.

Brave sœur! Elle grimpait au calvaire de notre logis et sans la moindre grimace portait trente kilos de charbon à bout de bras dans une ancienne lessiveuse en tôle galvanisée. J'étais certain, à ces moments-là, que le peintre Millet, s'il l'avait vue, aurait peint ma parente dans cette pose de porteuse. J'avais trouvé le titre: *Femme mineure remontant de la mine*. Et si cela avait été, les deux culs-terreux de son *Angélus* n'auraient plus qu'à se remettre au travail. Ma sœur n'était pas une fille très corpulente; pourtant, nous l'appelions la grosse! Une façon peut-être d'apprécier sa force morale et sa hargne à vouloir se mesurer aux petits mâles de la famille.

Non. Pas de sexisme chez nous. J'imagine que ce partage égal des tâches ne favorisa guère l'évolution féminine de ma grande sœur qui, tout en développant sa musculature au profit des besoins familiaux, perdit beaucoup en *sex appeal*!

Honnêtement, j'en suis encore à me demander si l'égalité des sexes n'entrave pas la saine évolution corporelle de nos sœurs et de nos futures compagnes.

Flotte petit drapeau...

PAUVRETÉ, ÉGALITÉ, FRATERNITÉ

L'égalité, c'est quoi? L'égalité! C'est deux poids sans mesure! Deux jumeaux qui ne se ressemblent pas!

Une supériorité acquise et maintenue par l'homme sur la femme? Le silence des enfants martyrs?

— C'est quoi l'égalité, maman. M'am, c'est quoi...? L'éloquent silence de ma mère est la réponse à mon c'est quoi. L'égalité? Ça n'existe pas.

Pourquoi faut-il se laver à l'eau glacée tous les matins de cet hiver 1941? C'est la faute à l'égalité. Et pourquoi Andréa Martin, ma mère, est-elle morte au bout de son rouleau, assassinée par le travail, par le manque de soins, par le manque d'argent, par son dévouement, par sa fatigue de toujours survivre, par son manque de goût de vivre?

L'égalité s'est alors servie du sacrifice de ma mère pour déguiser son crime en suicide; maman s'est tuée d'un surcroît de travail, à cause de nous, ses enfants. Par contumace, elle a droit à la médaille des mères nécessiteuses, de ces mères qui peuvent disparaître parce que leurs petits sont presque en âge de se débrouiller seuls. Chères mères, le pays vous remercie de votre sacrifice. Et la couvée familiale, fière et ployée sous la douleur, regarde l'égalité passer à autre chose.

L'égalité est versatile; elle roule sa bosse chez les fonctionnaires, chez les politiciens, court séjour dans la haute société, juste assez pour ne pas en rougir. Elle est catholique, elle est française comme il se doit. Elle est aussi «au plus fort la poche»! Elle est celui ou celle qui passe avant les autres. Elle joue de mémoire du piston en coulisse car elle est musicienne-née. L'égalité, c'est le marché noir d'une époque honteuse où l'absence d'un drapeau, sur lequel l'égalité avait encore sa place, parvenait à nous faire croire à tous que les hommes étaient libres et égaux en droit. Mais l'égalité avait suivi la débâcle et pris le maquis...

Et nous ne nous souvenions même plus qu'elle avait existé. Elle a fait, depuis, son bout de chemin, attelée au même joug que moi. Elle est devenue ma culpabilité personnelle. À ses côtés, j'avais l'impression d'avoir tué ma pauvre mère... de l'avoir usée trop vite. Pour faire diversion, la question de l'eau froide des petits matins glacés de l'hiver 41 hantait pour toujours ma pauvre mémoire. Borné, je répétais en leitmotiv, comme pour oublier le reste: «Pourquoi certains se lavent-ils avec de l'eau chaude?»

«Parce que... Parce quc», me répétait ma mère. «Parce que quoi?», osais-je lui répondre. «Sois poli, si t'es pas joli.» (Le pauvre est toujours laid et ma mère le savait.) Elle s'en sortait toujours ainsi, donnant le change, ne voulant jamais avoir l'odieux d'expliquer les choses: «Tiens, au lieu de dire des bêtises, dis bonjour au monsieur.» Fais ceci, fais cela!

Par télécommandes familiales, Andréa nous procurait une éducation fouillée, car le défaut d'être pauvre n'excluait pas pour elle le fait d'être bien éduqué.

J'ai donc développé très jeune un complexe d'eau chaude. De luxe, quoi! Me laver à l'eau bouillante, sous les vapeurs, suffoquant, et ce, deux fois par jour, trois si j'en avais le temps, tout seul, ou avec d'autres. Laisser couler en moi cette chaleur pour retrouver une fois encore l'utérus plein de vie de ma mère disparue. «Il faut souffrir pour être beau», disait-elle. J'acceptais alors d'emblée, sur ma peau rougie au sang, les jets violents et intolérables de cette douche imaginaire...

Il faut souffrir... pour être... pauvre. Maman, avec ses mots justes posés aux bons endroits de la vie, des mots stéréotypés et sûrement inventés par les bien nantis. Des maximes de ce genre, elle en avait pour toutes les situations, à toute heure du jour et de la nuit, des maximes-égalités, antidotes à la pauvreté.

Pour moi, cette égalité galopante, celle du drapeau, se résumait à n'être qu'à l'égal de ce que pouvaient avoir les autres. Les pas comme moi, les pas tout nus!

La notion de riche, encore confuse chez moi, n'entrait pas tout à fait dans le collimateur de ma compréhension! Un peu bouché l'popol! Mais je sentais déjà confusément tous les méfaits d'une certaine injustice.

Ces inégalités me poussaient à des exagérations d'un libertinage juvénile pour lesquelles un confesseur bon enfant aurait eu toutes les misères du monde à me donner une absolution sérieuse. Pauvreté n'est pas vice! Mais elle aide à nous en approcher. Libertin, diable! je l'étais un peu, aidé sans doute par ma voisine et gardienne, une belle grande fille plus âgée que moi, consciente de mon acné précoce. Pauline, après avoir diagnostiqué mon bobo, avait entrepris de le guérir. Pauline, sensuelle et sans problème, me fournissait l'occasion d'un nouvel apprentissage que je sentais venir, sans pour autant prévoir qu'il viendrait si vite. Brave Pauline! La moitié du pays était vidé de ses hommes, prisonniers ou en fuite.

On se rabattait alors sur la toute jeunesse, la relève! Dans ma courte tête, j'avais l'impression de sauver le pays. J'ai très rapidement vieilli dans ces temps de disette où seule la fesse était sans ticket. Brave Pauline! S'en est-elle donné du mal avec un innocent qui ne comprenait pas toujours le pourquoi des choses et qui, du reste, se posait le moins de questions possible. «Y a d'la joie», disait Trenet, et je ressentais en moi cette joie d'être bien sans avoir à m'en faire de reproche, et Pauline se donnait beaucoup de mal pour que la chambre de sa mère reprenne des allures de chambre de veuve et son maintien d'innocence. Le portrait du papa décédé, derrière sa vitre bombée, ne semblait pas d'accord avec ce qu'il voyait: c'est de ce hublot qu'il surveillait les ébats de sa fille. Ce voyeur fantôme semblait me chercher dans cet amalgame corporel, comme pour me garrocher quelques vilaines injures. Pour cette raison, Pauline laissait la porte de l'armoire à glace à demi ouverte, afin de camoufler son père et c'est dans les biseaux de cette fameuse glace que j'ai vu en kaléidoscope, et pour la première fois, le derrière déformé de la belle Pauline.

Pauline n'oubliait pas de refermer la porte de l'armoire au miroir biseauté et, chaque fois, c'était comme le mot fin sur l'écran: le cinéma était fini. Pauline replaçait tout avec autant de précision qu'elle le faisait pour le reste. Tout reprenait une neutralité suspecte pour quiconque sauf pour sa mère qui avait horreur du désordre. Quand cette dernière m'appelait son petit «Paulo», j'avais l'impression qu'elle devenait ma mère et, de ce fait, j'avais fatalement couché avec ma sœur... Mais l'ordre et le calme étaient de mise dans cette maison où la cafetière ronronnait sur le coin de la cuisinière à charbon. Ordre et propreté, c'est le lot des pays du Nord où l'on nettoie à grande eau son pas de porte, chaque jour. Ces symboles folkloriques ont tôt fait de réduire à néant mes tardifs regrets.

Je redevenais impeccable. Un vrai petit saint! La Pauline, elle, partie sur la manie du ménage, n'arrêtait plus de frotter les chromes du poêle pour se donner une contenance sous les yeux de sa maman admirative; sous les miens, aussi, encore sous l'emprise de certains événements récents qui me remuaient. Pauline avait de qui tenir, elle était bien la fille de sa mère.

Mes fantasmes de petit bonhomme suscitaient bien des questions chez l'enfant que j'étais encore. Le cul, c'était nouveau; qu'allais-je faire avec? C'était ça l'amour dont on parlait dans ces films niaiseux et infantiles? Oh non! Pour moi, l'amour se résumait à cette gymnastique à deux qui nous laisse pantelants et saoulés de fatigue avec à l'intérieur un bien-être indescriptible, une renaissance au rêve des plaisirs réservés et cet extraordinaire besoin de mourir dans l'autre et de ressusciter sans attendre le troisième jour.

L'amour misère n'est pas mon lot, vivre d'amour et d'eau fraîche me rappelle trop l'unique robinet familial où l'eau glacée glissait, lourde, dans la large cuvette pour y laver mes attributs. J'inventais mille raisons pour ne pas y aller «tout de suite» et je me demande encore quel est le con qui a dit un jour: «L'argent ne fait pas le bonheur.» Un hypocrite romantique, sans doute, qui aurait dû prendre ma place.

Ces années de disette étaient si noires qu'on ne comprenait pas mon acharnement pour un peu d'eau chaude tandis qu'on avait l'estomac sous les talons. Je me contentais de rêver à ce que certains avaient tous les jours: égalité de bouffe. Luxe inégalé et inégalable! La bouffe, c'était plus qu'emplir cet estomac de ruminant à paroi double qui a fait de moi un goinfre invétéré. Eh oui!

Je rêvais aussi de petits plats livrés dans du «Limoges» plus fin même que celui des autres, un «Limoges» tellement raffiné qu'on voit le jour au travers et, qu'en buvant son café, on broute la tasse comme un simple biscuit. Et puis, pourquoi pas, des couverts d'argent. Fourchettes, cuillères, couteaux de luxe dont la lame fragile ne compte que pour du beurre, parce que le bifteck, il est si tendre chez les riches... Quelle nouba, petit Paul!

Côté affectif, je n'avais aucun problème. On m'aimait, bien sûr. On m'aimait trop. Je sentais, malgré les remontrances de ma mère, son immense affection qu'elle n'avait pas toujours la patience de nous garantir au bon moment. Brave Andréa qui combattait sa maladie et le mal de vivre de sa petite famille trop nombreuse.

Ils me gâtaient tous. Et les frères et la sœur qui, pourtant, n'avait rien de maternel. Vieille fille avant l'âge, sacrifiée par une société d'excellentes personnes qui ont dit, chacune, leurs mots sur son avenir! Bête de travail ici, comptable mal payée là, exploitée par tous, y compris nous autres. Brave, ma sœur, elle est restée la bienheureuse de ce siècle étrange et n'a jamais su déchiffrer le drapeau.

«Fais confiance en l'avenir. L'avenir est dans ton rêve, petit Paul!» Il est vrai que la réalité est malheureusement plus réelle que ton rêve, pauvre con! Mais la réalité du rêve est plus réelle que la réalité elle-même. C'est dans ce sens que «l'égalité» que nous arborons sur nos drapeaux, ceux de la mairie, ceux de la petite école républicaine et d'ailleurs n'est qu'une inscription sans fondement, une utopie à vivre! Je ne sais comment. Quant à la «fraternité», autre inscription républicaine de solidarité et d'amitié entre les hommes, elle a rudement été mise à l'épreuve, et de façon éloquente, dans l'histoire de France des années quarante...

La liberté, elle, a été longue à venir, chez nous, inscrite elle aussi au répertoire de notre drapeau familial. Je t'ai attendue liberté, dans le ventre de ma mère, sous le joug de mes frères, de ma sœur, de mes profs, de mes chefs, de mes patrons, du père

Noël et de notre Père qui êtes aux cieux. Ce fut long et pénible et cela dure encore... un peu. Dès mes quatorze ans, à mes débuts de travailleur salarié, moment euphorique où, délaissant la culotte courte pour une carte d'union, on imagine être majeur parce qu'on gagne enfin sa vie, le droit de vote, celui de voter infailliblement pour cette liberté-égalité-fraternité, car nous sommes chez nous des républicains de naissance. Ce doit être ça, la liberté. Bénéficiant déjà du privilège de dire merde à tout le monde, de cette liberté qui coûte si cher quelquefois, mais une liberté avortée par la pesanteur d'une armée occupante qui vint à son tour, j'en avais l'impression, pour me fermer la gueule en brûlant nos drapeaux.

Merci quand même, soldat inconnu au nom barbare! Grâce à toi mes rêves ont éclaté en artifice magique dans le marasme où tu nous as plongés.

Et merde! Que j'en ai rêvé des choses!

Je n'aurai pas assez de temps pour les vivre toutes!

Pour les réaliser toutes!

Pour les user toutes!

Pauvre poète con. Un peu fleur bleue fanée, tout pétri d'une culture radiophonique, toujours un brin débile mais rassurante, où l'on croyait découvrir chez soi les délires culturels de la bourgeoisie! Pauvre poète con, le «Y a d'la joie» semblait facile parce que les poètes étaient jeunes et moi façonné dans l'âme par le grand Charles... Trenet, bien sûr, dont les chansons folles me laissaient croire que ma propre folie vagabondait sur toutes les routes du pays, comme un tour de France surréaliste, avec à chaque étape un paquet de tarés comme moi qui criaient «Bravo, Paulo! Bravo, Charles!» Bravo, tous les Charles! Trenet, bien sûr, et aussi le débonnaire, et le Péguy des boys-scouts! Charlot du cinéma et celui du balcon de l'Hôtel de ville, celui qui a fait chier les Anglais de Londres et d'ailleurs, et aussi Charles, le petit tzigane arménien si intelligent, si talentueux. Il a lui-même si bien cru à son rêve que, finalement, il l'a dépassé!

Vive les Charles!

Mais je m'appelle Paul et je ne suis qu'un charlot de plus... Comme les autres.

Les soirées chez l'oncle Henri

La ligne de métro Place d'Italie-Étoile nous emportait en direct chez notre grand-oncle. Nous traversions la ville et, derrière la vitre du wagon déboulant sur la voie aérienne, je plaçais toute mon énergie à coller mon nez en ventouse sur le verre glacé. Mes yeux d'enfant avalant une à une les images parisiennes avant que le métro ne retourne dans le ventre de la ville, sachant déjà que chaque jour mène sa peine, transformant les gens et les choses sans qu'ils s'en rendent compte. Dubo! Dubon! Dubonnet! Dubo! Dubon! Dubonnet! La famille et moi traversions Paris au tempo du passage des affiches d'un apéritif populaire.

Nous allions chez mon oncle Henri, ou plutôt l'oncle de ma mère, un bel homme au crâne dénudé, qui conservait jalousement une couronne de cheveux grisonnants comme la récompense d'une vie satisfaite. Quand il caressait de ses deux mains, en aller et retour, ces restants de poils, un bonheur était à venir pour lui: déboucher une bouteille de bon vin, ou saisir à pleines mains la cuisse d'une des nymphettes de la famille. Cette manie, d'ailleurs, l'aura perdu, car à chaque frottis frotta des restes de sa calvitie, les fillettes prévenues s'esquivaient, apeurées, devant leur satyre.

Il possédait une cave exceptionnelle. Sa femme, Eugénie, tenait la conciergerie d'une maison bourgeoise de la rue Decamps, dans le XVIe arrondissement, et l'un des locataires, gros propriétaire d'apéritifs et de vins en gros, fournissait notre Bacchus en excellents pinards. C'est qu'il rendait à ce monsieur de petits services, nourrissant chaque jour sa ménagerie personnelle.

Il m'emmenait alors avec lui, me recommandant de ne toucher à rien, de m'essuyer les pieds, de ne pas parler fort et de ne pas faire peur aux poissons tropicaux. Si je n'avais pas existé cela aurait sûrement fait son affaire. À part la difficulté de jouer les invisibles pour contenter mon oncle, quel bonheur d'aller avec lui, marcher sur les épais tapis rouges de tous les paliers, monter dans cet ascenseur d'acajou poussé par un gros tuyau de cuivre cochon dégoulinant d'huile qui nous glissait sans bruit au septième ciel de la maison. L'enfer était dans la cave, petite, basse et noire. Le reflet des bougies faisait danser à l'intérieur de chaque bouteille des esprits égrillards à l'image de l'oncle, vieux malcommode, qui les inventait pour me faire peur.

Il se cachait quelquefois pour déboucher comme un diable dans un petit recoin, rigolard, l'œil malicieux, la bougie sous le menton donnant à son faciès un accent tragique que je connaissais par cœur. L'oncle Henri était quelque peu répétitif.

Né en Alsace, il ne portait pas dans son cœur l'ennemi de toujours, mais il savait aussi que ses ancêtres n'avaient pas dû flirter avec des Espagnols. Et de ce fait, avec son œil bleu et sa face carrée, il avait tout à fait l'allure d'un Prussien. Il parlait couramment leur jargon, ce qui m'impressionnait fort, car ces Teutons-là étaient historiquement nos ennemis communs. J'avais donc certains doutes quant à nos racines et, pour tout dire, sur les miennes en particulier. Ma pauvre mère essayait par tous les moyens de me prouver la différence, prenant l'exemple que l'eau et le vin ne se mélangent jamais, oubliant que toujours elle m'avait fait boire mon vin avec de l'eau.

La tante Eugénie, importante femme d'une prestance sans souplesse, promenait sa personne corsetée comme un char d'assaut. Quand elle faisait le nettoyage aux étages, elle s'habillait de dimanche comme pour les mariages ou les enterrements sous prétexte qu'on ne savait jamais qui l'on allait rencontrer dans ces escaliers-là! Concierge de luxe! Toujours prête à rencontrer le Bon Dieu lui-même.

Les repas dans la loge trop petite étaient sujets à d'incroyables gymnastiques. Il fallait rejoindre sa place en passant sous la table. Cela me prenait du temps, découvrant au passage les styles de chaussures qui habillaient les pieds de tous et chacun, m'attardant quelque peu devant les sublimes jambes gainées de soie de la cousine Elvire, superbe Italienne de la région du Laco di Garda. «Qu'est-ce que tu fabriques encore là-dessous?» s'écriait l'oncle envieux de n'être plus en âge de passer sous les tables et qui connaissait l'objet de mon retard. Je ressortais devant ma place, confus, rouge comme un diable, ébouriffé, ébloui par la nappe trop blanche sans pli, repassée par la grosse Nini dans la cour intérieure et vitrée de l'immeuble bourgeois. Là, poussaient en paix des plantes vertes qui donnaient à la courette des allures de forêt vierge. La gourmande tante Nini faisait cuire à merveille, et en cocotte, de majestueuses volailles qui débordaient de la marmite de fonte pour atterrir dans le plat de service que l'oncle, prévenant, glissait sous le poulet juste au bon moment.

Après avoir caressé son crâne, Henri attrapait une patte du gallinacé qu'il semblait faire danser sur la piste du plat; on se rendait compte très vite qu'il retenait ferme le poulet et que son autre main travaillait du couteau dans le volatile pour le faire giguer! Raciste, et comme l'un ne va pas sans l'autre, sadique à la fois, il séparait le brun du blanc de la pauvre bête: diviser, c'est régner, semblait-il nous mimer par sa gestuelle significative, en accrochant la dernière patte qui se raidissait sur ses ergots. La tante Nini les faisait cuire avec la bête et ils nous faisaient de petits signes désespérés pour que quelqu'un intervienne auprès de leur bourreau. Et puis détendus, dispersés, les morceaux gisaient dans chacune de nos assiettes, aucunement intéressés à connaître la suite.

Moi, je me tenais le corps droit, les poings serrés de chaque côté du couvert. C'est ainsi, chez nous, qu'il fallait se tenir à table. Dans mon assiette, un peu déçu, je découvrais un morceau d'aile à la peau picotée comme une mauvaise variole que j'oubliais bien vite grâce à une mer de sauce, à une presqu'île de purée de pommes de terre et à son petit cratère de beurre jaune et, surtout, à une odeur chorale qui montait sensuelle à la gloire de la tante Nini. Elle se tapait déjà le croupion fumant de l'animal, son faible. À preuve, je l'ai vue pleurer sur un croupion que l'oncle avait oublié de lui réserver. Il fallait la voir, lumineuse et ravie, se farcir d'une main experte tout l'appareil sexuel de l'innocente volaille. Il passait presque entier dans l'énorme entonnoir de sa bouche, maquillée d'un rutilant rouge à lèvres. Dégoulinante, une graisse liquide réduisait la poudre de riz alentour en un vilain cerne gras, démaquillant le bas de son visage ainsi mis à nu, ne montrant plus que la ténacité de son rouge, cramponné sur les bords de ses lèvres de négresse. Excité, l'oncle ravi se frottait encore une fois les deux côtés de sa calvitie qui faisait se dresser les quelques plumes de sa tête: petit rituel sauvage, des amours de tétras de savanes! C'était aussi sa façon à lui de reconnaître et d'applaudir les petits bonheurs tout simples de la petite bourgeoisie.

Un bedeau pour deux cierges

Quand ma mère mourut, on lui passa sous le menton une bride légère pour lui fermer la bouche, comme si elle avait encore envie de dire quelque chose. Et l'on pleurait, comme il se doit, autour des bois de ce lit mortuaire.

L'ensemble de la chambre venait du magasin Lévitan qui garantissait ses meubles pour longtemps. Pourquoi n'en fut-il pas de même pour ma mère, et pourquoi les slogans ne sont-ils faits que pour les choses qui s'achètent?

Maman fut exposée dans sa propre chambre, au milieu de ses souvenirs qu'elle connaissait par cœur; elle a sûrement eu durant sa maladie le temps de détailler cet art décoratif qui s'accroche aux bois du mobilier.

Elle est partie, sans personne à ses côtés, avec ses meubles, témoins de sa lente agonie. Sa chambre de veuve était son dernier décor, que je lisais encore dans ses yeux morts ouverts, dernière photo témoignant de sa vie. Il n'y a que les pharaons qui emportent avec eux l'ultime mobilier, dérisoire, inutile; nous, nous n'emportons rien de plus que leur image!

Je devais aller chercher des bougies pour les placer au chevet de ce catafalque de fortune. Il n'y avait déjà plus rien dans Paris occupé. Une horde de soldats achetait tout ce que l'on pouvait encore trouver dans les magasins de la Ville lumière. Il ne restait rien. Ni bougies, ni bouton de culotte, pas même une aiguille, tout était parti à l'est. Je décidai alors d'aller jusqu'à l'église pour quêter au bedeau les introuvables cierges.

Il me reçut, sourire en coin, des gros yeux dévoreurs, un menton bleuissant. Il ressemblait, trait pour trait, au gendarme de mon enfance du «Théâtre guignol», une enfance qui n'était pas si loin, car j'avais quatorze ans. Le bonhomme me confessa d'une voix surprenante, graveleuse, outrecuidante, équipée d'un accent épouvantable qui laissait croire qu'il avait une poignée de dents en trop dans la bouche. Il me corna ensuite dans les oreilles, de toute la force de ses opiniâtres poumons, l'adresse d'une maison mortuaire où je devais aller pour certains arrangements funéraires: «Poirette! la maison Poirette! c'est sur l'avenue de...» Mon chagrin reprenant le dessus, je n'écoutai plus le bedeau profiteur qui devait sans doute recevoir une commission pour chacun des clients qu'il envoyait chez ce... POIRETTE! J'avais mal au cœur! Le chagrin n'en était nullement la cause. Une odeur nauséabonde sortait du gouffre de son gosier, une odeur d'ail mal digéré qui venait du fin fond de ses entrailles. Cette puanteur n'avait pas dû trouver de visa pour fuir avec le reste et tout ça remontait en surface, empestant au grand complet l'aura du bedeau démoniaque.

Il était pourtant superbe! Et tous les dimanches à la grand-messe on lui aurait donné le Bon Dieu sans confession... Une allure de général bonapartiste, avec son bicorne, ses chaussettes blanches et sa jaquette plus galonnée que celle du petit caporal lui-même! Avec, en plus, une hallebarde interminable tenue par un irréprochable gant blanc et qu'il faisait résonner par-dessus les orgues du jubé de l'église en frappant le sol.

Mais l'habit ne fait pas toujours le moine. Un demi-sourire vainqueur camouflait l'autre moitié: un restant de grimace jaune comme le soufre où logeait son gouffre dépotoir. Les odeurs de l'encens aidant, il s'en sortait toujours avec des relents folkloriques, aux arrière-goûts de vieux aïoli mal digérés de sa province natale.

Petit besogneux travaillant à rabais, homme à tout faire de l'église, plus présent dans celle-ci que le curé lui-même et trop proche de Dieu pour en avoir la crainte. Impassible devant la mort, ce type de bedeau sans âme ni dégoût traverse les épidémies depuis le Moyen Âge. Serviteur de Dieu, il connaît bien tous ses petits travers; maître-chanteur, il ne parle de rien: son sacerdoce le lui permet plus qu'au curé lui-même, car il n'a prononcé aucun vœu et c'est la force du bedeau. Le monde d'église ne veut jamais regarder les choses en face, prend ses retards pour de la réflexion et ne veut rien savoir des affaires du bedeau car il est intouchable. Ses petites combines reliées à la mafia des salons funéraires ne sont qu'un léger appoint à ses tristes salaires. Son faciès, plus proche d'une machine à sous que d'une vraie figure et dont les deux yeux ronds, toujours en alerte, se mettaient à tourner pour faire apparaître en roue libre les oranges, les citrons, les prunes, les cerises, les cloches, les trois fois sept et le «jack-pot», me fascinait au plus haut point.

Bedeau de mes chagrins, bedeau de ma jeunesse, tu m'as donné les deux cierges pour ma mère morte mais tu n'as jamais eu un mot pour elle. Je me suis vengé de toi. Je n'ai jamais contacté la maison Poirette, juste pour te faire chier, vampire indestructible, mangeur d'ail à gogo, petit bedeau bedon qui digère si mal tes flammes éternelles...

Je dois tout de même te remercier pour ces chandelles vacillantes. Les deux cierges-bougies ont veillé ma mère morte au milieu de sa maladie, de ses objets familiers, de ses meubles et des odeurs d'apothicaires.

Fantasme et dernière volonté de la nuit des morts, faramineuse fin d'une fausse princesse. Néfertiti sans royale naissance, tu pars au petit matin dans ton minuscule sarcophage doré, à jamais, vers la Vallée des Rois.

La nuit des fous

Août 1944, le plus long jour de ma vie. Libération de ma ville, de mon quartier, aussi peu joli qu'un déménagement qui, prétend-on, ressemble à un deuil pour ceux qui le vivent.

Quelle trouille elle a, la divine armée en retraite, troupeau d'uniformes pressés les uns contre les autres, mâchoires serrées pour donner l'impression qu'ils vont encore de l'avant. Mais elle recule, la délirante Wehrmacht, infiniment plus motorisée que nos soldats dépareillés de notre armée de France 1939. Les retraites ont toujours un relent dérisoire et clownesque pour nous, civils en manque de liberté. L'avenir s'éclatait déjà dans un sommeil bienfaisant, celui qui fait éclore les rêves tranquilles ou la simple vie; celle du quotidien équivaut au bonheur perpétuel des nouveaux banlieusards, les bienheureux du rebord des villes...

Mais cette nuit-là...

Le lit maraude sur le bois franc du plancher ciré, le crissement aigu des roulettes de métal très vite recouvert par le bruit des obus de la défense antiaérienne américaine et par l'éclatement des bombes au soufre que balancent avec une précision déconcertante deux avions Stukas sur les usines Panhard et Levassor. Pour les anéantir!

Quelle nuit! Dégringolades jusqu'à la cave, six étages de descente. Ce bombardement ressemble à un tremblement de terre. En quelques secondes, un flot de voisins déferle, emportant couvertures, lampes électriques, enfants silencieux, grands-parents ronchonneurs. Tout ça gicle en quelques secondes dans la cave, consolidée par une forêt de résineux ébranchés et passablement gros qui nous donne l'impression d'être tombés en pleine nature. L'illusion est courte lorsque chacun cherche son trou. Une fine poussière monte du sol, sèche comme de la poudre d'os. Elle donne au paysage un air incongru, surréaliste, irrespirable.

Une voix vient de l'entrée et demande, impatiente: «Des volontaires pompiers!»; les gars de la défense passive peut-être. Lucien, avec beaucoup de peine, se hisse sur sa patte folle et avec une fermeté que je ne lui connaissais pas, répond: «Oui! On arrive!» Tout ça sans fla-fla, comme ça, simplement.

Étonné, je me lève engourdi d'un sommeil qu'on m'a volé et, laissant au sol ce qui me sert de couverture, je me glisse comme un automate en arrière du boiteux, certain déjà du mauvais augure de cette décision imprévue.

Une plainte s'élève dans un silence si soudain qu'il confirme mon malaise. Lucien, n'y va pas! Ce n'est pas un impératif: une simple quête, mais dite avec une telle lucidité prémonitoire que mon malaise ne me quitte plus. La sœur du boiteux étouffe un sanglot, et la cave reprend gravement son rôle d'abri antiaérien tel qu'il est écrit sur l'écriteau à l'entrée. La petite troupe file déjà sur les lieux du sinistre.

La nuit nous renvoie des éclairs rougeâtres, accompagnés du claquement des obus explosant au-dessus de nos têtes. Quelques éclats retombant çà et là avec une résonance sèche, en jetant quelquefois des notes surprenantes. Et moi qui croyais que tout était fini! Non! Tout recommence! La direction des feux nous indique la marche à suivre. Au-dessus de nous, sur les toits, une étrange bataille se poursuit et nous, les pékins du trottoir, nous, les pompiers de l'avenir, nous n'en avons presque pas conscience. Seul, de temps à autre, un tir de carabine, de fusil de chasse, de mitraillette ou de revolver nous laisse entrevoir en imagination certains règlements équivoques qui se font là-haut au-dessus de nos têtes.

Les anciens méchants et les nouveaux bons règlent leurs comptes aux étages supérieurs et si, par malheur, quelque balle perdue percute un pékin du trottoir, les survivants se demandent qui a fait ça. Les anciens méchants ou les nouveaux bons? Une balle perdue, personne de retrouvé. C'est la confusion, le mélange, la guerre en civil.

Par ces temps difficiles, il est préférable d'avoir foi en quelque chose plutôt qu'en quelqu'un! La confiance n'est plus reine, nous n'avons plus confiance qu'en rien.

Les obus pleuvent dru. En veux-tu en v'là! En arrivant devant l'usine, le brasier, chauffé à blanc par les plaquettes de soufre enflammées, se colle amoureusement aux murs. Les flammes s'épanouissent comme marguerites au soleil. Incroyable! Je suis séduit par ce spectacle gigantesque. La chaleur me sèche sur place, me repousse, et mon sang, épaissi dans ma face, tourne au boudin.

Des pompiers professionnels s'affairent au milieu des boyaux désorganisés, qui semblent ne plus retrouver leur route, à jamais perdus dans ce labyrinthe de tuyauterie sans fin. Les pompiers se cramponnent à deux mains, dans une pose indécente, à leur lance de cuivre qui ressemble de loin à un super sexe rigide, brillant comme la couleur de leurs casques dorés, réfléchissant ce chaos d'enfer... seule chose réfléchissante, du reste, dans tout ce désordre.

De moins en moins certains de l'efficacité de leur membre viril, les pompiers promènent leurs pissoires inutiles sans conviction sur le feu indomptable. Ce n'est même plus cauchemardesque, c'est tout simplement ridicule.

Des coups de feu nous parviennent faiblement à travers les craquements des flammes. Je jette un coup d'œil distrait au boiteux, encore plus dérisoire que les pompiers, qui arrose avec une ferveur incroyable une petite porte de bois que les flammes pourlèchent avec délice. Une porte ouverte! Nous nous engouffrons. C'est la cave! Intacts, alignés comme des soldats, une quinzaine d'extincteurs nous attendent à l'abri... Nous remontons nos trouvailles et reprenons nos arrosages savants. Il ne s'agit plus d'éteindre la masse infernale, mais de protéger les maisons d'alentour.

Des coups de feu claquent! Ici, sur rien! Là, sur un pompier qui s'écroule! Sa lance ayant perdu ses mains, plus vivante que jamais, gigote dangereusement en tous sens, folle et prise de panique... pendant qu'on place le blessé sur un matelas extrait d'une maison comme par enchantement. Quelques désespérés, cachés sur les toitures des bâtiments alentour, tirent sur les boyaux d'arrosage qu'ils percent de part en part. Ils font un jeu d'eau, et les effets superposés sur fond de flammes rendent encore plus dérisoire tout ce cirque tragique qui, vu des toits, doit produire une cible tentante pour tireurs habiles. Ces messieurs de là-haut veulent finir leur guéguerre en beauté! «Après eux le déluge!»

Je le souhaite, moi, le déluge. J'ai chaud, j'ai soif, j'en ai marre de ce coin de merde où l'on ne voit pas arriver les coups. On nous tire dessus, les oreilles me sifflent. Est-ce une alarme ou ma tension qui monte?

Je tiens fortement un extincteur et j'arrose sans grand espoir. Un homme, derrière moi, se tient les yeux fermés, les bras autour de ma tête formant avec ses mains une visière qui me protège les yeux de l'excessive chaleur. Les pompiers sont défaits, écœurés, impuissants. Boyaux crevés, copains sur matelas et matelas sales. Triste, tout ça!

Soudain, le boiteux vers qui le malheur arrive s'élève presque au ralenti dans les airs, poussé par l'écume blanchâtre qui sort de son extincteur crevé. Ce dernier vient d'exploser, sans doute sous l'impact d'une balle... un gros pouff! Le boiteux pirouette dans les airs, désarticulé, l'écume le soutenant comme une balle de ping-pong! Montée rapide, retombée tout aussi rapide, flac! Un énorme cri: «Lulu!» C'est moi qui viens de crier! Oui! Ah oui, c'est bien moi! Je me suis entendu, je me suis reconnu! Lulu!

Je suis penché sur mon boiteux qui gît comme un pantin à qui on a coupé les fils; un léger filet rouge coule lentement de la commissure de ses lèvres. Ses yeux n'existent plus; déjà, il ne reste que le blanc. Ils sont à l'envers, regardant à l'intérieur de lui-même, avec regret, les péchés de sa vie. Cela me trouble, m'oppresse. Je sens monter les larmes qui inondent finalement mon visage mais qui sèchent au fur et à mesure au rythme des événements, au rythme de la chaleur du sinistre.

Mon émotion s'évanouit lorsque j'ai soudain l'impression de jouer dans un film! Le ridicule d'une fiction sur laquelle on pleure me fait reprendre mes sens. Durant ce revirement émotionnel, on a placé le boiteux sur le fauteuil déplié d'un coiffeur, articulé comme un robot étiré à son maximum. Le pauvre Lucien semble pousser sa petite sieste en attendant qu'on le rase. Scène incongrue que je ne reverrai jamais plus de ma foutue vie. Un docteur en pyjama se penche sur lui. Il ne semble pas trop savoir, préférant rester vague. Il murmure: «Il faudrait l'ambulance», comme si l'ambulance pouvait faire le diagnostic à sa place.

La réponse nous vient des toits! Quelques pétarades d'armes automatiques, et c'est la panique dans nos rangs! Seul le frère ne bronche pas! Courageux, inconscient, il ne dit rien, et pour cause! Les yeux toujours en dedans, pour ne plus rien voir, rien ni personne, stoïque. J'en viens à envier son sort. Je sais, c'est égoïste. Mais c'est un moyen d'oublier sa peur!

Que vais-je faire à présent? Que vais-je faire de lui, si lourd sur cette chaise de torture. Et moi, si tout seul! Comment vais-je raconter à ma sœur ce tragique événement qu'elle avait prévu?... L'odieux me revient toujours: raconter le malheur des autres. Je suis encore le témoin d'une tragédie à laquelle je survis sans l'avoir voulu. Et il faut que je me trouve chanceux! J'ai une chance qui me fait honte. Oui! Je m'excuse, je suis sorti indemne de tout ça! T'as pas honte?

J'en suis là quand une ambulance arrive trouée comme une écumoire par les balles perdues! On ramasse mon boiteux de frère, comme une poubelle, on le place à même le plancher, place de choix m'explique-t-on, moins dangereuse que l'innocente civière vide qui trône au-dessus de nous.

Je me glisse à côté du blessé. Les portes font la nuit, se referment et de chaque côté de la carrosserie les petits trous s'animent. Je m'habitue à cet éclairage sautillant. Grâce à lui, je distingue à peine la pâleur du malade, qui semble doucement revenir à lui. Sont-ce les sautillements de cette lumière de cinéma? Non! La voix du boiteux me tire de mes fantaisies juvéniles; je crois rêver, il vit! Des sons inarticulés me parviennent malgré le vacarme du moteur et les bruits extérieurs. J'approche mon oreille jusqu'au murmure qui coule en moi, chaud comme de l'onguent chaud, potion magique de nos maux d'oreilles d'enfants. Mon émotion est à son comble: il parle! Je ne sais qui remercier. Aussi, je me promets d'être le témoin le moins tragique: celui du conteur de cette résurrection.

Tout a l'air d'aller rapido, par-ci, par-là. L'endroit est glacial; la peur, peut-être! Un tombeau résonant. Ce cercueil roulant nous retourne comme deux saucisses dans le fond d'une poêle, nous cognant deçà, delà, sur les montants des civières et selon les caprices du chauffeur ou ceux de la topographie des rues. Barouetté sans bon sens, mon voisin de couche gémit plusieurs fois; aussi, j'essaie de m'agripper à tout ce qui dépasse pour ne pas le cogner. Je m'arc-boute afin de le maintenir bien à plat sur le dos, y arrivant essoufflé comme un jeune veau! Ah! nous devons enfin rouler en ligne droite. Un grand boulevard, une avenue peut-être...

Le blessé profite de l'accalmie et me dit faiblement: «Prends ma montre, prends ma bague... mon portefeuille!» C'est trop! Il retombe dans son mutisme comateux.

Le nez me repicote; je refoule mes larmes, je résiste. Après une longue minute de silence, je renifle un grand coup, avant de me décider enfin à dépouiller le cadavre. Arrachant la montre, je la glisse dans ma poche droite, et je dois me placer au-dessus de sa carcasse, pour le dévaliser de son portefeuille! Je l'entends râler. Regrette-t-il déjà de se séparer de ses objets personnels en cette dernière minute? Le portefeuille prend sa place dans l'autre poche, et j'attaque la bague... Un travail de Romain. J'ai tout essayé, tout! Saucissonnant le morceau d'or de son annulaire, dans tous les sens possibles. Peine perdue! J'ai même craché sur le doigt retors, le cœur dans la gorge à ce sacrilège, fait à mon propre parent.

J'ai tout essayé, tout! Sauf le couteau. J'étais poutant prêt à l'amputer pour accomplir ses dernières volontés, mais un dernier virage m'a ramené à une réalité moins morbide. Une montée de trottoir, une porte métallique que l'on ouvre et qui, criarde, souffre sur ses gonds, entrée en trombe quelque part! Les deux portes de l'ambulance s'ouvrent: lumière crue, civière, draps propres, couverture accueillante! Sauvés! Je ne quitte pas du regard le corps du boiteux qu'on entraîne je ne sais où...

Les bruits continuent de pétarader au-delà des murs de l'hôpital. Les bruits d'une ville qui se libère avec, dans son sillage, son quota de blessés et de morts. Et moi je suis là, seul!... Ah! non. Pas tout à fait! Un rire démoniaque se répercute sous la voûte des platanes, un rire libérateur, un rire inconscient de ce qui se passe... dehors! Un rire hors du temps, hors du jeu. Je suis seul dans la cour de l'hôpital des aliénés, l'hôpital Sainte-Anne. Seul avec ce rire... Un rire tout seul, lui aussi; un rire qui n'a rien à dire, rien à raconter, un rire démentiel que l'on ne peut interdire malgré les événements, malgré le couvre-feu! Un rire qui, dans sa solitude, fait semblant d'être heureux...

Comment vais-je raconter ça à la sœur du boiteux? Comment vais-je lui annoncer la chose?

Il y a de courts instants où l'on envie infiniment la folie des autres.

Petite prière pour briser le miroir

Ils avaient sans doute raison tous ceux qui voulaient me faire taire, tous ceux qui voulaient m'arrêter de jouer, de m'amuser, tous ceux qui voulaient que j'arrête de vivre tout simplement.

Ils avaient tous raison. Le jeu était mon évasion, mon univers, ma drogue pour surmonter les événements difficiles des périodes non désirées. Mon peu de sérieux dérogeait à la difficulté quotidienne, transposait en fantasme éphémère l'événement incontrôlable, refoulant quelquefois l'atroce d'une situation déprimante par sa réalité et son infaillible accomplissement, pour faire reculer les petites misères, les nier, les confondre ou les noyer dans l'une des bulles de mes rêves et pour qu'ainsi emprisonnées à vie, elles me concèdent une victoire fragile: petit mécanisme pour briser le miroir et partir au pays des poètes, au paradis de ceux qui sont toujours derrière et en arrière de quelque chose qui camoufle un au-delà possible et dans lequel il faut oser croire parce que s'y trouve peut-être aussi l'éternité. Nous mériterons, sans doute, les au-delàs auxquels nous aurons cru...

Il faut que jeunesse se tasse

Nous étions quelques dizaines sur les terrains de l'ancienne usine abandonnée qui transformait le charbon en gaz. Elle avait revêtu tous les murs du quartier d'une couche d'un noir de suie indécrottable. Jour après jour, nous creusions, ramassions, tamisions de minuscules granules à la recherche de l'or noir, et gardions précieusement les pépites de charbon qui restaient prisonnières de nos paniers à salade. Tout ça pour faire quelques chauffes à la sauvette: déjà, l'achat du charbon était chose du passé. Nous étions devenus charbonniers de fortune pour réaliser que très bientôt nous n'aurions plus rien à mettre dans la gueule du poêle éteint, ni dans la nôtre par le fait même.

Un hiver dur et cru s'abattit sur le bassin parisien; des froids de la Sibérie venaient passer l'hiver chez nous, accompagnés de restrictions alimentaires programmées pour ne pas nuire à l'économie, car les usines avaient retourné leur veste et travaillaient depuis quelque temps pour la grande visite: les petits hommes vert-de-gris. Dans le pays congelé, recroquevillé sur lui-même, comme un colimaçon rentré dans sa coquille, nous ne pensions plus. Ah dormir! Comme l'escargot chanceux, hiberner sans souci dans notre coquille commune, effacer ces années honteuses par un sommeil d'oubli et peut-être trouver quelques rêves heureux.

Je venais de terminer mon école primaire, et de justesse, pour choper un malheureux certificat d'études qui m'ouvrait toutes grandes les portes du travail. L'heure n'était plus au cerveau, mais aux bras.

J'ai douloureusement quitté mes *klondikes* de charbon et mes aventures de chercheur d'or se sont arrêtées là. Sans choisir, je me suis retrouvé dans l'atelier des selliers garnisseurs de la *Carrosserie René David*, boulevard de l'Hôpital, face à cet hôpital dit «de la Pitié» où mon père est mort quelque dix années auparavant. J'ai fait quatre ans de galère dans cette usine, malgré tout sympathique, avec mes gardes-chiourmes, trois vieillards avenants.

Alfred, le contremaître, petit homme replet du centre de la France, qui s'oubliait parfois sur quelques pas de bourrée auvergnate pour animer quelques secondes notre fade journée d'un folklore que j'avais moi-même connu dans ma prime jeunesse. C'était dans le Cantal, chez la mère Moissinnac. Souvenir heureux. Mais le cher Alfred regrettait vite les quelques pas perdus de sa danse à deux temps; honteux, il reprenait son patient travail qu'il connaissait sur le bout de ses ongles.

Mon voisin d'établi s'appelait Jules Champrobert. À 73 ans, il avait repris le collier car le pays manquait d'hommes et il fallait lui redonner son air d'aller! D'aller où? Au fait, étais-je le seul à me le demander? Où allions-nous?

Peut-être que l'autre, le vieux «maréchal nous voilà», peut-être que lui, il le savait! Il avait repris du collier, lui aussi, à défaut de reprendre le poil de la bête, et se posait sans aucun doute la même question sans pouvoir toutefois y trouver une réponse. Mais, son âge aidant, il nous donnait l'illusion de la connaître. Quant à Champrobert, lui, il allait à reculons vers le début du siècle, vers ce temps qu'on appelle encore «La belle époque».

Sous ses moustaches en guidon de vélo, Champrobert murmurait les confidences de sa vie, à moi, jeune imberbe. Je tendais mes deux oreilles vers ce vieil homme respectable qui me racontait des choses que je ne connaîtrais qu'à travers lui. En ces temps révolus des phaétons, le travail de sellerie était selon ses souvenirs travail d'artiste: rembourrage et bourrelets relevaient d'une technique de la sculpture à l'aiguille courbe, et il fallait une certaine science pour faire et poser correctement le capiton.

Ses descriptions me consolaient: le métier que je pratiquais était autre chose que ce rembourrage grossier fait de foin de pâturage; il n'était que temporaire et les soies et les crins reviendraient bien un jour. Les expériences de mon vieux maître me consolaient du peu de plaisir que je prenais à faire ce métier-là. J'essayais malgré tout de le faire bien, mais aussi de le faire vite. Je travaillais si rapidement que je mettais, montre en main, quatre fois moins de temps qu'un compagnon d'expérience à faire le travail, ce qui ne faisait l'affaire de personne. On cachait mes ouvrages et mes vieux compagnons, à la queue leu leu, portaient vers le grenier les coussins trop vite terminés des portes regarnies trop tôt. Et tout ça s'éclipsait au maquis de l'usine avant de prendre sa place définitive dans un véhicule. Marathonien du rembourrage, je travaillais vite, il est vrai. En précipitant le travail, j'avais l'impression de devancer le temps; il me fallait user ma vie pour déboucher sur autre chose...

Mais on me ramenait toujours au tempo syndical en me faisant sentir que je sabotais le marché du travail. Pour me ralentir dans mes ardeurs besogneuses, on me faisait balayer l'atelier ou aider le père Champrobert à quelques ouvrages qui se faisaient à deux. Ces instants d'intimité éteignaient mon ardeur à vivre car ce vieux camarade me troublait fort avec sa marotte: sa femme était morte et c'était un veuf inconsolable! Conteur fabuleux, il fascinait mon inexpérience sentimentale et j'écoutais le vieil homme conter l'épouse disparue. En ces jours de disette et de petits désespoirs, l'amour posthume de ce vieil amoureux m'a largement aidé à survivre.

Survivre! Ce mot-là, on ne l'employait jamais; il était proscrit, puisqu'il était l'image de ce que nous vivions tous les jours. Mes manques se faisaient ressentir vers les onze heures, le matin. Je me sentais glisser; aucune douleur, simplement un malaise par tout lc corps. Ma face blanchissait comme celle d'un Pierrot. J'allais alors m'étendre sur les ballots de foin entreposés sur la mezzanine. Patiemment, j'essayais de contrôler mon souffle; je perdais alors conscience! Dans ce coma chronique, j'oubliais presque tous mes symptômes qui revenaient souvent car les menus, toujours aussi dégarnis, ne pouvaient me mener ailleurs qu'en ce grenier providentiel. Je me réveillais quelquefois aux cris d'un de mes compagnons, une vieille ganache aux longues dents déchaussées, une grande échalote qui répondait au prénom de Jules, un peu servile devant notre patronne. Ce bonhomme guignait déjà la position de notre Alfred, le bien-aimé contremaître. Jules se piquait d'avoir de l'esprit et de chanter comme Paulus, grande vedette des années 1900. Mais lorsque je l'entendais nous roucouler tout son répertoire d'une voix nasillarde et ancienne, je trouvais que le Paulus de ces années folles n'aurait même pas fait un lever de rideau, si j'en jugeais par la voix aigrelette et chevrotante de cette vedette des familles.

Il lançait aussi sans avertir les anciens cris de Paris, aux oreilles poilues du tendre Champrobert, qui n'appréciait en rien les vulgarités de l'autre Jules: «Du cul, du cul! Ma femme en est! Quatre sous, les porte-monnaie.»

Sa complainte hurlée d'une voix de fausset faisait vibrer les tôles du toit qui semblait grincer des dents à notre place. Champrobert, impassible, me jetait un léger regard de ses yeux en amande et un timide sourire à peine perceptible faisait contraste avec ses yeux tristes.

Et toujours et inlassablement fusaient dans l'atelier les mêmes farces à deux sous qui allaient mourir étouffées sur notre mezzanine, entre les foins de rembourrage qui emplissaient notre atelier d'une odeur campagnarde, relent de vacances anciennes.

À quatorze ans, quand on a faim, c'est qu'on a faim; et à défaut de garnir mon estomac, je garnissais de superbes clous. De superbes pneus pour de superbes camions de la superbe grande armée. Ainsi chaussés de clous, j'imaginais que les voyageurs conquérants ne pourraient aller plus loin que la frontière des neiges du côté du petit père des peuples où les attendait de pied ferme l'armée écarlate. Plantée dans le gras du synthétique caoutchouc, je savais qu'il faudrait un certain temps à cette pointe pour se frayer une place et faire ainsi son petit bonhomme de chemin jusqu'à la chambre à air, jusqu'au dégonflement fatal, jusqu'à la défaite finale. Résistance sans gloire, résistance des faibles!

Juste un gag pour ridiculiser l'armée glorieuse, une chiure de mouche sur leurs médailles astiquées. Une petite farce pour me réchauffer l'estomac et le cœur parce qu'il faisait grand froid dans ce PUTAIN D'ATELIER! Et toujours ce vide au ventre...

Je ne savais plus à quoi ressemblaient un œuf, une banane ou une tablette de chocolat. Ces choses, du reste, avaient-elles déjà existé?

Le dictionnaire nous affirmait que oui! Mais combien de temps encore avant que je les revoie? Il ne passait pas vite le temps, de ce temps-là! La grande noirceur recouvrait tout, étouffait toutes couleurs vivantes, et la ville asthmatique se mourait tous les soirs au son strident des sifflets de la défense passive, qui annonçaient le couvre-feu rigide et sans pardon. Et toujours ce creux au ventre, ce creux obsédant que je devais peut-être à la faim, à la peur, aux deux à la fois? Un creux générateur d'images délirantes; non pas de repas démesurés, mais plutôt de petits mirages: un œuf à la coque, un tout petit steak frites, la cuisse d'un poulet malingre, visions mythiques d'une bouffe impossible en laquelle nous n'osions plus croire, une faim insatiable qui ne se résumait qu'à un terrible manque de calories.

Cette faim me terrassait; le nez enfoui dans cette odeur de grange, je me sentais en dehors de la vie, presque aux avant-postes de l'au-delà, au purgatoire, sans doute, dans toute sa platitude. La faim! La peur! Je n'y pensais plus car je divaguais sur les vagues de mon inconscience. Ce doit être cela les effets des grands déserts suffocants et de ces phénomènes du grand froid de l'Arctique, où l'on ne ressent plus la douleur imposée.

Plus terribles sont tous les petits désespoirs qui nous visitent à chaque jour. Ils sont misérables cependant en comparaison du grand désespoir des autres, comme celui des fusillés à l'aube: une simple affichette en guise de faire-part pour annoncer, sur tous les murs de la cité, les noms de ceux qui mourront demain. De ceux qui sont partis hors champ, hors les murs, hors la ville; petit Juif étoilé, petit Juif trompé qui prend toujours le train pour un quelque part inconnu et revient très souvent en brume légère vers ses anciennes racines.

Grand désespoir des uns et petits malheurs personnels, tout ça n'aura guéri personne: un monde toujours neuf, mais refait du même matériau toujours, prêt à recommencer pour voir, car l'expérience des uns ne sert pas les autres. Moi-même, je dois avouer qu'au plus profond de moi, j'ai quelque part la nostalgie du malheur, de ces malheurs-là qui font partie de ma jeunesse.

Les restrictions alimentaires ou *tout pour un ticket de pain*

Un manque de nutrition flagrant, calamité particulière à cette époque de l'occupation, m'avait poussé à devenir un adepte du marathon à travers Paris, à la recherche de quelques galettes immangeables, mais sans ticket.

Paris, fardé d'un bleu délavé qui couvrait obligatoirement les vitres de nos portes et fenêtres tamisant les éclairages poussifs d'une cité déjà appelée «Ville lumière»! Des bandes de papier collant s'entrecroisaient sur chaque carreau de chaque appartement, de chaque maison et dans chaque rue. Des milliards de carreaux et de vitres portaient chacun leur croix, et ce, par toute la ville: symbole tragique rappelant les grandes épidémies du Moyen Âge. La peste était chez nous.

Ces papiers préventifs posés en croix superstitieuses étaient sûrement inefficaces car la bombe éclatant au milieu de ça faisait tout sauter. Il ne restait ni croix, ni bannière. Ce genre de déflagration soufflait à peu près tout dans cette guerre sans gloire.

Chacun des monuments était doté d'un lot de sacs de sable qui le couvrait de pied en cap recréant une œuvre nouvelle et sinistre comme celle d'un sculpteur fou.

Tout Paris fardé, camouflé, tamisé, policé, étouffé sur l'ordre d'Adolf. Car l'homme au parapluie, l'innocent diplomate de service Chamberlain, ne voyait pas plus loin que son célèbre pépin lorsqu'il prenait le thé chez le dictateur. Il revenait toujours le sourire anglais sur son visage britannique, racontant que l'ogre germanique avait calmé sa faim sur la sainte Pologne, un hors-d'œuvre assez lourd, et que son dessert tchécoslovaque l'avait comblé ma foi!

Le vieux monsieur avait oublié le plat de résistance, et nous avons chèrement payé cette omission. Adolf avait posé sa lourde botte sur le front populaire d'une France presque heureuse, au ventre replet, berçant sur ses gros seins le bon peuple suralimenté par ses nourrices gastronomiques. Braves provinces dont la réputation n'est plus à faire! Il n'en fallait pas plus à l'ogre nazi pour fermer le robinet des vivres aux portes de Paris et détourner vers l'est son tribut de victuailles. Adieu donc, veaux, vaches, cochons (ici, une pensée toute spéciale au grand Reich), poulets et autres marchandises du merveilleux grenier français.

Si bien que l'homme de Paris n'avait plus le loisir de les avoir sur sa table ni même celui de les contempler en vitrine. Les vitrines se retrouvaient vides et sinistres, exception faite des têtes de nos commerçants encore trop bien nourris: ils se servaient les premiers tandis que, nous, nous faisions des queues interminables pour avoir un cent grammes de leur pâté de chien. Aussi, nos habitudes d'avant la guerre n'avaient changé que sur la quantité, car les têtes de ces bouchers et bouchères ont largement remplacé dans leur étal celles des veaux disparus. Mise a part la branche de persil dans les trous du nez, ils ressemblaient aux veaux comme deux gouttes de veau, ces commerçants grassouillets dont les silhouettes ont pu nous faire croire aux pires instants de la disette que les restrictions avaient disparu.

Quant à moi, je courais Paris à la recherche de galettes sans beurre, sans farine et sans rien, des galettes miracles qui allaient peut-être calmer mes fringales d'adolescent frustré. Je les ai toutes essayées ces galettes consacrées. Je les avalais comme l'hostie de la sainte messe: recueilli, les yeux clos. Mais j'ai tôt fait d'abjurer ma religion nouvelle et d'envoyer ces mitrons malhonnêtes chez l'diable.

Quelle écœuranterie! La colombe française battait de l'aile, il n'y avait plus d'amis! Le chacun pour soi était de rigueur et le «Bon Dieu pour tous», ayant changé de nom, s'inscrivait partout en langue germanisée «Dieu est avec nous». À croire que Dieu aussi collaborait.

D'autres passaient cette période sans se faire de soucis. Ainsi, marraine Vivise, de son véritable nom Marie-Louise, que mon frère Lucien avait séduite à l'âge de quatre semaines. Elle n'avait aucun problème de ravitaillement, prenait le pays ficelé à bras-le-corps et s'adaptait aux circonstances.

Vivise, comme disait mon frère, était courte et grasse; une fois couchée, elle gardait quand même sa taille. Quant à son surnom de Vivise, il venait de cette déformation enfantine qui écourte les prénoms des grands pour les faire descendre jusqu'à eux. Elle n'avait pas d'enfant et vouait à ce garnement une vénération sans limites qu'il entretenait en jouant les saintes nitouches à la mesure de ses capacités, déjà solides pour son âge. Elle gâtait son filleul par de nombreux petits cadeaux en argent et en nature.

Concierge, elle menait à la baguette six étages de retraités qui ne s'en plaignaient pas. Son état lui offrait de multiples compensations, compte tenu des pouvoirs dont s'arrogent les concierges parisiennes. Elle recevait plus souvent qu'aux étrennes de multiples cadeaux de ses vieux locataires et, parfois, pour leur forcer la main, utilisait une retenue sur le courrier par-ci, une attente prolongée à la porte d'entrée par-là: elle en contrôlait l'ouverture grâce à un système électrique infaillible. Terroriste avant la lettre, elle mettait son talent au service de multiples combines que seuls fomentent les effets seconds de la guerre et de ses aléas. Elle a su mettre en valeur ses aptitudes et toute sa personne au service du marché noir.

Un jour que je lui rendais visite, m'inspirant des astuces de mon grand frère, j'entrepris de lui soutirer quelques avantages ou rations qui auraient amélioré notre ordinaire. Mon frère, blessé durant la courte guerre et rapatrié chez nous, se trouvait corseté dans un cercueil de plâtre qui l'immobilisait au lit depuis des mois. Je supposai qu'il aurait sans doute moins besoin que moi de ces calories qui nous faisaient à tous tant défaut et pensai donc en profiter en son nom!

Cherchant à attirer la commisération de Marie-Louise sur le blessé, son filleul, je le dépeignis nageant dans un plâtre trop grand tellement il avait maigri, dans un sarcophage tout blanc creusant les yeux de son petit squelette, le ventre vide, ce qui était fatalement vrai. Je me trouvai si pathétique et si beau que je faillis le lui chanter. Elle me regardait, l'œil mouillé. Cette pénible description de son filleul l'acheva... elle me tendit d'un geste bas et court une poignée de tickets de pain. Un geste de dessous de table, geste fréquent en ces jours où tout négoce illicite se faisait en sourdine. Au moment où j'allais dire merci, elle mit un doigt sur sa bouche pour me signifier que les oreilles des murs avaient changé de camp et que notre propagande était passée à l'ennemi. Motus! Je me retins, figé, et dans un reculons stratégique, je gagnai la porte sans attendre mon reste.

À l'air pur, un bonheur immense me saisit au ventre. L'estomac vide, cette contraction me fit mal et, ramené à la réalité du jour, je me précipitai vers le grand boulevard, serrant dans ma main droite les précieux tickets, pot-de-vin empoché sans honte. Les joues colorées, excité par la bonne aubaine, j'entrai dare-dare dans la première boulangerie venue.

«Bonjour, m'sieur dame», dis-je, plein de bonne humeur. Aucune réponse. Au comptoir-caisse de marbre blanc, en gilet, les cheveux enfarinés, se tenait le boulanger. À côté de lui, en complet-veston, le regard soupçonneux, un flic comme ceux que l'on devient à la mi-retraite, blasé et endurci. Était-il, celui-là, du bon bord? Bon ou pas? Des bords, il y en avait trois: celui du maréchal, celui du feld-maréchal et celui du général en exil. Il devait faire partie des trois bords à la fois, car ces pandores-là grappillent sans vergogne à tous les râteliers. Il observait avec une attention qui aurait dû me sembler louche les tickets de pain que j'avais posés sur le marbre.

Le boulanger, le regard sur sa caisse, visiblement gêné du voisinage de l'autre, fit mine d'aller chercher le morceau de pain demandé. Pendant ce temps, l'autre, ticket en main, se glissa derrière moi et, ramassant mon collet à pleine poignée, s'écria: «Suis-moi. Ces tickets sont faux; je t'emmène au commissariat.»

Atterré, les jambes molles, j'eus la vision fugitive d'une Vivise debout sur la balance de la boulangerie. Balance de justice? Déjà! Elle me faisait signe, un doigt sur la bouche, pour me signifier encore une fois que les oreilles ont des murs ou, plutôt, que les murs ont des oreilles. Je m'embrouillais dans mes slogans guerriers. Mes nerfs me lâchèrent, incapables de déguerpir en quatrième vitesse. Le flic avait à peine pris le temps de ramasser son imper et son chapeau que nous montions déjà le boulevard, en direction de la mairie du XIIIe arrondissement qui tenait dans ses quartiers un commissariat de police.

En cellule, les nerfs calmés, mon estomac toujours vide me rappela l'affreuse réalité. La prison! Je suis en prison! Alors les oracles, vagues menaces de ma pauvre mère, parfois enragée contre moi, me revinrent en mémoire: «Si tu continues, tu finiras en prison!» Oh non! c'est pas possible! Et pourtant les prédictions maternelles trouvaient bien leur finalité en écho dans la même cellule que moi.

J'essayai en vain de ranimer l'image de marraine Vivise. Qu'elle vienne à mon secours! Elle s'en lavait les mains, sans doute, le doigt toujours devant sa bouche pour m'inciter à me taire!

Elle aurait quand même pu me le dire qu'ils étaient faux ses tickets! Je me serais méfié! Les larmes me vinrent aux yeux en parlant de faux; cela pouvait me mener loin, et quand je dis loin, ce n'est pas au figuré. Loin voulait dire un camp de travail en Pologne.

Je n'avais rien contre les Polonais, mais aller en Pologne n'était pas une perspective emballante, d'autant plus que j'avais vaguement entendu parler de leurs camps de travail. Et puis mon pauvre frère ne pouvait rien faire, tout seul. En pensant à lui, les larmes revinrent en brouillard dans mes yeux, et je jonglai à mes faibles espoirs de me sortir de ce piège à cons que m'avait tendu sans le vouloir cette putain de marraine qui n'était même pas la mienne!

Le flic de service vint me dire que le commissaire qui devait m'interroger était attendu.

Bonne nouvelle encore, me disai-je en me creusant le crâne pour trouver quoi dire. C'est la Vivise qui m'avait mis dans ce merdier! Mais je ne pouvais tout de même pas la vendre! La dénoncer? Quelle horreur! Le mot *dénoncer* me fit brailler pour la troisième fois! Alors, quoi dire?

Devant le commissaire, je n'en menai pas large. Il avait l'air bonhomme et cela m'encouragea à lui dire la vérité, toute la vérité... ou presque.

D'une voix haletante, j'ai raconté que mes frères et moi étions orphelins, et que l'un d'eux m'attendait depuis huit heures du matin dans son lit de plâtre, que j'étais rongé d'inquiétude et que lui aussi devait se ronger les ongles, me croyant passé sous un camion à gazogène, quoique ces derniers fussent peu nombreux dans les rues vides du grand Paris. Je m'écoutais m'apitoyer sur moi-même, sur mon frère et sur la honte qui rejaillirait sur ma pauvre famille. Pauvre mais honnête!

Je versai alors sur cette honnêteté une larme brûlante qui sut émouvoir la brochette de gros flics qui se trouvaient là. Le commissaire, bon enfant mais pas encore assez pour passer l'éponge, me ramena vite à l'essentiel... les faux tickets!

Ah! Bon Dieu, moment fatal! Je les avais oubliés! Coupable ou non coupable?

Inspirée pour le moins par ces flics alentour et par l'odeur de vieilles pipes qui hantait le commissariat, une idée forcenée redonna à mon estomac vide un regain de fringale. Je voulus m'en sortir par tous les moyens, y compris le mensonge et, innocemment, j'expliquai à mes examinateurs qu'un jour, passage Ricot, juste devant le commissariat de police (quelle aubaine!), je vis briller sur les pavés mal joints de la triste ruelle quelques petits carrés de papier jaunissant qui avaient sans aucun doute été oubliés là exprès par quelque individu à la conscience lourde et pour lequel ces tickets, puisqu'il faut les appeler par leur nom, étaient de véritables témoins à charge. En toute innocence, je les avais ramassés et, tout aussi innocemment, portés au boulanger. Où était le crime?

Je ne sus jamais comment le petit commissaire goba la fable. Il me raccompagna avec tous ses agents afin de perquisitionner le domicile familial. Je n'en menais pas large! Aussi, devant la maison où tous les locataires étaient aux fenêtres, je sortis du fourgon cellulaire et, à pas cadencés, nous avons tous les cinq traversé une cour interminable pour finir au sixième étage. Dès que j'eus ouvert la porte, je me précipitai dans la chambre de Lucien pour lui jeter dans un souffle que les tickets de la Vivise étaient pourris à l'os et que les flics me suivaient. Comme c'est un rapide, mon grand blessé me sermonna d'un ton de curé! Il m'expliqua le danger qu'il y avait à ramasser n'importe quoi et que, par les temps qui courent, il fallait... Cause toujours, mon Lucien!

Les policiers se sont excusés, confus de n'avoir pas cru à l'histoire de ce frère coincé dans un plâtre trop grand. Et comme nos agents sont de braves gens, ils saluèrent le grand blessé comme s'il était lui-même le soldat inconnu avant de s'éclipser sans bruit, comme à l'opéra.

Mon frère ne raconta jamais cette anecdote à sa marraine. Quant à moi, je sais maintenant qu'il y a des individus sur lesquels les événements les plus tragiques n'ont aucune prise.

Telle était cette Vivise qui, sans souci aucun, passa à travers deux guerres. Deux ouragans et des orages sans blessure... ni souvenir.

La mort, fidèle à la légende, comme une voleuse, est venue la chercher dans son sommeil.

La gale du pain

Dans le journal aux nouvelles trafiquées, j'avais lu ce jour-là en première page la description d'un village empoisonné par l'ergot de seigle (champignon hallucinogène ayant la forme de l'ergot du coq): des villageois en avaient avalé en mangeant leur pain quotidien. Nos boulangers avaient sûrement voulu faire un coup d'argent et se remplir les poches. Ces salopards n'y regardaient plus de trop près pour trier la farine! Une rareté! On connaît pourtant le goût des Français et le respect qu'ils portent à cette denrée quasi mystique: le pain qui était rationné.

Cette histoire a été contée dans nos journaux «Deutsch-franchouillards», des journaux qui relataient journellement la vaillance toujours extrême des armées d'outre-Rhin. Pour une fois, nos «canards collabos» daignaient décrire par le menu les folleries d'un village en liesse qui avait, semble-t-il, complètement perdu la boule.

On y relatait que, dans leur délire collectif, les villageois s'étaient jetés joyeux par les fenêtres, des nu-vite courant les rues en tous sens, qu'on se violait les uns les autres dans une fiesta subite, un dépassement total, un ras-le-bol généralisé, une kermesse héroïque avant la lettre. Révolte inconsciente de quelques bouseux égarés grâce à cette drogue fortuite, pour atteindre un «je n'y suis pour personne» extraordinaire qui dépassait largement l'imagination.

J'enviais presque ces gens pour leur folie passagère, causée par quelques grammes d'un ergot d'oubli, et pour le pouvoir qu'elle leur conférait: ils pouvaient dire merde aux uniformes multicolores, français ou autres.

Gaillardement installé derrière mon journal pourri qui, pour une fois, m'apportait une bouffée d'air frais, vautré dans un petit bonheur éphémère, je me grattais sans trop y faire attention les entre-doigts des mains et des pieds. Depuis quelques jours, une démangeaison inquiétante rougissait mon épiderme jusqu'à me faire ressembler à un sioux de cinéma. Sans doute étais-je dévoré par un je-ne-sais-quoi dont la faible dose était restée sans effet ou, encore, par la présence d'engelures dues à l'absence de matières grasses et aux grands froids que nous supportions vingt-quatre heures sur vingt-quatre. Après consultation, j'ai su que j'avais contracté de toute évidence la «gale du pain», une maladie fréquente en temps de guerre.

La barbarie continuait donc son œuvre, manœuvrée par notre boulange qui n'y allait pas de main morte pour glisser dans sa pâte à pain toutes sortes de saloperies qui «rallongent la sauce». Saint Louis, priez pour nous!

On m'envoya donc à l'hôpital Saint-Louis pour y recevoir des soins appropriés et faire disparaître mes humiliantes rougeurs de galeux. Cet hôpital était renommé. On le disait spécialisé dans la recherche sur les maladies honteuses qui, à l'époque, étaient encore à l'abri des antibiotiques magiques. L'aspect extérieur du bâtiment, aux pierres noircies par les fumées du temps, n'était pas plus engageant que l'entrée morbide de ce temple consacré aux maladies de Vénus. Son matériel médical ressemblait à des instruments de torture.

Au petit jour, honteux, j'entrai dans cet antre de la gonorrhée. Quelques patients, reconnaissables à leur hésitante et pénible démarche, en sortaient. Ils avançaient au ralenti, protégeant leur attirail défait et repenti, évitant les malencontreuses secousses du chemin raboteux. Courbés, ils portaient sur leurs épaules tout le poids d'avoir traîné dans des endroits où même un aveugle aurait hésité à mettre le bout de sa canne. Je pensais à cela tout en donnant à ma démarche un air dégagé; je ne voulais pas avoir l'air de faire partie du lot de ces «damnés de la bagatelle». Le nez en l'air, respirant avec prudence, j'essayais sagement de voir venir les dangereux gonocoques.

Dans l'un des pavillons numérotés, une énorme infirmière bourrue, qui en avait sûrement vu d'autres, me reçut sans effusions. Après un strip-tease rapide et sans fantaisie, je me retrouvai à poil, dans un endroit non chauffé et sans aucun doute plus humide que la taule du marquis de Sade. Une énorme lessiveuse émaillée fumait de façon inquiétante dans un coin de la salle. «Suivant!», s'écria une femme aussi grosse que la première, sortant de je ne sais où et me dardant d'un regard concupiscent qui avait tendance à descendre vers mes deux mains rougeaudes. Celles-ci camouflaient sans peine mon sexe rendu à un minimum-plus, à croire qu'il était rentré dans sa coquille, apeuré par les gros yeux de ces deux matrones pleines de santé. Un mauvais sourire, à peine esquissé, éclaira un instant la face gourmande de mes bourreaux. «Entrez là-dedans», marmonna l'une d'elles en me désignant la fameuse marmite. À peine eus-je enjambé la sinistre cuve que, d'un geste, l'autre m'y plongea jusqu'au cou. Avec une brosse de chiendent, elles s'appliquèrent à m'astiquer au sang.

En trois coups de cuillère à pot, je fus rouge comme un homard. Je ne les lâchais plus du regard, guettant le moindre signe, me retenant aux bords de ce maudit bain bouillant. J'étais en enfer avec deux diablesses qui ne me disaient rien qui vaille.

Le docteur Petiot était dans les parages, lui qui faisait fondre les Juifs pour garder leur argent et leurs bijoux. Je n'avais ni argent ni bijoux, si ce n'étaient «les bijoux de famille» déjà mal en point, cuisant inconscients avec moi dans la cuve.

Et en y regardant de plus près, on aurait encore pu trouver, malgré mon état presque squelettique, quelques bas morceaux sur mes alentours, capables de régaler, en temps de pénurie, les deux ogresses. Le poids de ces dames m'inquiétait beaucoup... et me laissait un certain doute sur la finalité de ce bain matinal. Je tremblais de peur! Nous étions maigrelets dans ces années de vaches maigres et ces deux grosses chiourmes qui brassaient l'eau du bain avec leurs brosses pouvaient facilement m'assommer et terminer ma cuisson dans ce court-bouillon improvisé pour me déguster au casse-croûte de midi.

Trouvant sans doute que j'étais assez cuit, elles me sortirent à deux de l'eau. J'étais plus léger qu'à mon arrivée, débarrassé de mes gales, sans doute restées au fond de la marmite. Rassuré, je songeai que cette maladie à moitié honteuse m'avait peut-être sauvé la vie: ces deux-là n'auraient pas bouffé un galeux! On me frotta ensuite avec des serpillières d'un blanc cassé qui m'arrachèrent la peau.

Claquant des dents, j'étais prêt à mourir écorché vif lorsque je sentis une énorme claque me frapper le dos. Une main de glace venait d'y apposer une mixture verdâtre qui, en un tour de main, me recouvrit le corps dans son intégralité la plus totale, camouflant mes parties les plus intimes en deux olives verdâtres et solitaires. J'étais soufré comme une allumette. En quelques secondes, je devins une statue-fantôme-vert-de-gris tremblotante et fragile, tout juste bonne à être remisée dans son sarcophage vestimentaire. «Rhabillez-vous!, me crièrent les deux diablesses, et gardez sur vous cette pommade. Dans deux jours seulement, vous aurez droit à un autre bain.» Quelle peine j'ai eue à habiller mon corps couvert d'une pellicule gluante qui, en séchant, craquelait comme le fond d'une rivière desséchée. Dehors, le froid termina la besogne. Je me sentais aussi raide qu'un passe-lacet et, à mon tour, j'avais bien malgré moi la démarche des parias de la syphilis et autres vilaines complications... J'étais au fond, dans le même bain que les autres.

Dans le métro, je m'accrochai à la barre centrale du wagon. Discret, je regardais innocemment les annonces, les relisant vingt fois. C'est toujours dans ces moments de gêne où nous voulons à tout prix nous faire oublier que les voyageurs des petits matins, la mine basse, nous dévisagent de la tête aux pieds et des pieds à la tête. Leurs regards trop insistants vers le bas de ma personne attirèrent mon attention et, après bien des ruses, je me rendis compte que de multiples plaques verdâtres couvraient déjà mes chaussures et entouraient mes pieds: je craquais de partout! Mon écorce de soufre sortait en petits morceaux par les deux jambes de mon pantalon au fur et à mesure des secousses, des arrêts et des départs.

J'étais désespéré, les regards de tous les passagers pesaient sur moi. Je braquai alors mes deux yeux sur l'affichette «Défense de fumer» et figé dans mon double sulfureux, je me cramponnai, le regard toujours branché sur l'interdiction providentielle comme pour inciter les voyageurs à la lire avec moi. Je n'osais bouger. Mes compagnons de voyage me quittèrent les uns après les autres, station après station.

Mon calvaire prit fin au terminus. J'abandonnai là, dans le métro de Paris, mon petit tas de cendres vert-de-gris... les restants d'un pauvre diable évaporé sur place. De quoi reconstituer, sans doute, quelques boîtes d'allumettes... et une petite histoire.

Les comiques troupiers

Petits enfants de la patrie, fils du soldat et de la cantinière inconnus, qui sommes nés entre deux guerres, sans véritablement en connaître l'horreur, nous, les petits planqués de l'arrière, les héros inoffensifs qui jouions aux petits soldats sur les terrains vagues aux odeurs de chat crevé; nous qui répétions, avec l'assurance de toujours nous en sortir vivants, les chansons racontant les exploits des guéguerres de nos aïeux dont vous n'êtes jamais sortis.

Vous n'en êtes jamais sortis...

Et nous n'en sommes jamais revenus...

Elles ont bercé nos enfances et marqué notre jeunesse: 1870, 1914, 1940, la plus humiliante, la moins glorieuse, une tache de gras dans notre beau manuel d'histoire.

Les réminiscences guerrières de tous ces vieux soldats radoteurs, trop marqués par le drame, inconfortables dans leurs habits civils, ces vieux bidasses soliloquent sur les gloires et les misères dont ils ont ressurgi enfin, presque vivants.

Et nous, petits enfants de troupe, nous n'avions plus que des comparaisons guerrières pour mesurer le temps...

Avant la guerre... après la guerre... durant la guerre...

Notre jeunesse, étouffée par ce calendrier morbide, ne nous offrait en perspective qu'une anxieuse attente d'autres catastrophes et nous n'entendions plus que parler d'elles.

L'album de famille, qui relate son histoire photographiée, était ponctué par ces événements; ici, c'est le cousin qui faisait son service militaire et, là, ton frère blessé à la guerre de 39-40. Courte guerre où mon frère Lucien a laissé en souvenir un morceau de sa jambe: il garde encore la gêne de devoir expliquer et cette courte guerre et cette courte patte, car on s'est toujours demandé comment il avait trouvé moyen de se la faire raccourcir en si peu de temps?

Et puis là, c'est l'oncle, celui qui est mort dans les Ardennes et là, ton pauvre père en permission juste avant son accident. L'oncle n'avait pas traîné sur le champ de bataille; il avait trouvé les tranchées de

Verdun assez inconfortables et s'était laissé mourir de bravoure. Quant à mon père, enterré vivant avec sa cantine par un obus tombé trop près, il avait sans doute perdu le goût des enterrements. Paresseux, il a traîné sa mort en se contant de folles histoires guerrières qui avaient submergé sa pauvre cervelle et qu'il se racontait comme les enfants qui ont peur la nuit, les enjolivant pour les rendre supportables.

Les poètes, presque tous, s'en vont du ciboulot: Apollinaire, Guillaume, Artaud, Antonin et Buissonneau, Alfred...

Je ne supporte plus tous ces mythes guerriers. Je ne supporte plus ces monuments de pierre qui mettent en relief la connerie du monde par-delà les noms et prénoms de ses morts. Je n'ai jamais été soldat, je n'ai jamais fait de corvées de patates, ni de corvées de chiottes. Je n'ai pas de médaille et, mon adjudant, je vous dis merde!

Rencontre avec Paul Claudel

À quinze ans, j'ai mis à l'épreuve mes capacités manuelles en essayant de fabriquer avec toutes sortes de rebuts des semblants de chaussures. Ces hybrides mal définis pouvaient se situer entre le mocassin, la charentaise et la chaussure de curé. Malgré tout, elles trouvaient preneurs dans toutes les classes de la société, articles rares en temps de guerre! Mes fausses chaussures partaient aussi vite que les faux tickets. Vendues à la hâte dans ces temps de disette où l'on vendait n'importe qui, pour n'importe quoi, à n'importe qui, n'importe comment! À n'importe quel prix, elles trouvaient acheteurs.

C'est durant les congés des jeudis après-midi que l'apprenti-cordonnier que j'étais cousait à la main, et à deux aiguilles, les précieuses godasses. J'écoutais ravi, en faisant ce bricolage, les retransmissions en direct de la Comédie-Française que l'on passait à la radio pour nos petits intellectuels, les collégiens et collégiennes des années quarante qui avaient congé le jeudi. Les ai-je entendus beugler dans leur théâtre glacial sans chauffage éclairé par la lumière du jour entrant tristement par une lucarne pratiquée au-dessus de la scène! Les Racine, les Molière, les Corneille, les Musset et les autres claquaient des dents, comme une claque organisée pour encourager tous les vieux sociétaires. Ces derniers faisaient applaudir à leur tour leurs partiels qui ne servaient plus qu'à ça: il y avait pénurie de bouffe. Tous ces bruits brouillaient les ondes déjà perturbées par les nombreuses pannes de courant et la qualité douteuse de l'électronique de notre radio parisienne. Ainsi, dans mon petit commerce, je récoltais un peu d'argent en faisant des heureux et en recyclant déjà quelques matières premières.

Parlant première, un de mes amis au père bien placé durant cette période m'avait invité à aller avec lui à la Comédie-Française, pour assister à la première du *Soulier de satin* de monsieur Paul Claudel, dans une mise en scène de Jean-Louis Barrault, l'idole de mes jeunes années. Ma garde-robe se résumait à un pantalon et un chandail; je n'avais aucun complet et je dus me débattre pour trouver par l'entremise d'un ami, fils du propriétaire d'un grand magasin de confection, un petit complet raide comme un fagot de paille. Tissé de fibres de bois, il avait la souplesse du contreplaqué. La laine du pays était germanisée d'office et servait de couverture pour le bien-être des vainqueurs.

Les semblants de chaussures que je confectionnais, trop rustaudes, ne pouvaient s'harmoniser avec ce costume de guerre car, le bois mis à part, il n'avait rien d'original. J'en fus donc réduit à acheter chez un marchand une paire de souliers dont les semelles de bois, fendues par interstices, leur donnaient un semblant de souplesse. Elles étaient fixées à un faux cuir ayant la forme de mon pied, un cuir-simili-ersatz inventé par d'astucieux savants allemands qui pouvaient ainsi s'approprier les vraies peaux de nos bêtes et en garnir les pieds de leur vaillante armée.

Et me voilà à l'orchestre de l'illustre théâtre, tout habillé de bois, évitant cigarettes, briquets et allumettes car les dangers d'incendie à cette époque étaient sans aucun doute les spectateurs eux-mêmes. En m'asseyant, j'avais peur de casser mon pantalon aux pliures de mes genoux et même... à mon fessier...

Dans mon petit cercueil de sapin fait sur mesure, mal à l'aise, je demeurai debout et pensai que seul le théâtre pouvait encore trouver le moyen de s'offrir un soulier de satin.

Odeurs d'enfance

Les trous de nez en figure de proue, fendant les eaux d'une rivière française, je passe les premières vacances de ma petite enfance à La Roche-sur-yon.

Un parfum sans titre m'apporte une image de moins en moins abstraite, dévoilant lentement la photographie d'une carte postale vieillotte, tirée du négatif paresseux de ma mémoire.

Nous sommes installés dans une barque lourde que l'oncle Henri fait glisser sur les eaux. Le front mouillé, il dirige à la rame notre petite galère. Ma mère en chapeau de fine paille, une main sur la tête pour le retenir, regarde le pont qui s'avance lentement. Les eaux diffusent une légère odeur poissonneuse qui se mélange au parfum d'Andréa, à son parfum sans nom.

*Ma petite patrie le XIIIe*

On dit souvent que le chiffre treize porte malheur. J'ai tendance à le croire!

J'ai retrouvé le quartier de mon enfance, un quartier rouge et parisien, le fief du gros Maurice, le stalinien, Thorez, qui régnait politiquement sur cet arrondissement durant la rude période du Front populaire.

Ce quartier que j'ai quitté, il y a plus de quarante années, a plongé dans le jaune univers asiatique pour devenir l'officiel quartier chinois de Paris.

Je ne m'y retrouve plus! Ce n'était qu'un quartier pauvre, dont certains endroits ressemblaient trait pour trait aux descriptions que Zola a si bien su donner du Paris d'alors. Tout près de chez nous, nous avions notre Cité Jeanne d'Arc, un coupe-gorge, une cour des miracles, le dernier vestige des mystères de Paris. Elle était bourrée de *squatters* professionnels, de pègriots en cavale, de sans-abri, de clochards de tous âges et aussi des rats les plus énormes de la ville. Les deux bâtiments qui se faisaient face dans ce passage, où le tout-à-l'égout était à l'extérieur, se touchaient presque du toit dès le cinquième étage. Une épicerie-buvette présentait à travers sa vitre sale, quelques boîtes de bonbons en vrac, sur lesquelles un retraité de chat édenté était vautré, regardant sans émotion des rats plus gros que lui traverser le passage.

Bouboule, un petit homme sans malice et sans âge, isolé du monde extérieur par une démence précoce, était notre amuseur public. Il faisait un numéro d'une débilité sans violence. Il n'intéressait que les enfants qui se moquaient de lui et la police qui le raccompagnait lorsqu'il était assez saoul pour rester silencieux. Il y avait aussi, non loin de là, le «Passage de l'avenir», un autre cul-de-sac qui n'a jamais tenu les promesses de son titre. Seuls de petits jardinets, meublés par des cabanes de vieux bois noirci, entouraient ce chemin de terre.

C'était le fief préféré de «la mère à la pie», qu'elle portait constamment perchée sur son épaule, plus acariâtre que son oiseau devant tous les enfants qui se moquaient de sa jambe artificielle, un lourd pilon de bois.

Sorcière du passage, nous l'aurions sans doute brûlée à l'occasion car nous étions à peu près tous les larrons en foire de ce quartier sans joie. Notre coin préféré était la rue du Château-des-rentiers. Longtemps nous l'avons cherché ce château, fouillant les fonds de cours, les caves, les égouts et même les catacombes pour en retrouver les vestiges. Il ne reste aux pauvres gens que le choix de donner à leurs rues et à leurs taudis des noms prétentieux et ronflants. Notre château d'Espagne n'existait qu'à l'image des fumées polluantes, des usines d'alentour, manœuvrées par les capitalistes rentiers sans le sou...

Aujourd'hui, étouffées par le ginseng, mes propres racines sont dévorées par celles de ce peuple millénaire, laborieux et patient. Pauvre moi! À peine ancrées sous le bitume de ce coin de Paris, mes courtes radicelles y sont déjà mortes, éliminées par le nombre de ces nouveaux locataires.

Adieu donc, petite patrie de mes enfances heureuses! Adieu, mon sixième étage, où habite encore le plus jeune de mes frères.

Mon ancienne maison se porte bien, rénovée par les soins de la ville et sans doute classée car cette maison, construite dans les années 1920, reste un modèle du style «art déco».

Les prolétaires de l'époque n'avaient pas la déprime, car nous vivions dans la beauté architecturale d'un style qui n'a jamais été détrôné! Architecture de masse, toute extérieure mais sans véritable confort, comme le célèbre «eau chaude à tous les étages» inscrit aux portes des maisons bourgeoises de tous les quartiers chics. Non. Rien de confortable dans ces casernes de civils de la IIIe République aux centaines de logements, aux milliers de fenêtres ouvertes aux voisins voyeurs, comme cette belle-sœur accrochée à la sienne qui détaille au jour le jour les sorties et les entrées de tous les locataires. Sa fenêtre est son cinéma, son loisir quotidien.

Il fut aussi le nôtre, en ces temps de jeunesse où nos yeux étaient bons. C'est de cette fenêtre que j'ai vu partir les deux petites Juives avec leur mère. Elles habitaient le bâtiment face au nôtre, discrètes, polies, comme voulant déjà se faire oublier. Elles furent embarquées un matin vers six heures, sans bruit. Ce jour-là, un escadron des armées occupantes avait cerné notre quartier pour fouiller les logements et récupérer les Juifs, les communistes, les tracts antinazis, la nourriture en trop et les collectionneurs d'armes interdites.

De cette fenêtre aussi, j'ai vu partir entre quatre militaires le gros Valentin, chef d'une cellule communiste. Par la suite, trois de ses enfants se sont suicidés les uns après les autres, s'asphyxiant au gaz. Le plus jeune avait mon âge.

Chaque matin au petit jour, je regardais par la fenêtre embuée de froid, encore mal réveillé, ma mère qui allait chercher le lait frais. Au retour, elle me racontait avec étonnement qu'elle avait encore une fois rencontré le petit moine, pieds nus dans ses sandales ouvertes à tout vent. C'était l'hiver, et elle s'apitoyait, elle, protestante, sur le petit papiste matinal.

Toute la vie des locataires se lisait dans ces fenêtres carrelées par les montants de bois qui découpaient les vitres. Images des familles soupant l'été, fenêtres ouvertes d'où les odeurs de potages mêlées montaient jusque chez nous. Fenêtres coupables, cachant les amours adultères. Images des enfants, sabotant à plusieurs un malheureux lit chambranlant qui devenait leur trampoline.

La vie de ces cités moroses auxquelles, l'habitude aidant, on finit par trouver un certain charme, mises à part ces nuits d'été suffocantes, perturbées quelquefois par la femme de l'ivrogne qui faisait plus de bruit que son mari saoul mort. Elle hurlait ses remontrances à l'autre qui n'entendait déjà plus rien; elle sermonnait nos insomnies d'insanités, d'insultes et nous incommodait beaucoup plus que son soûlard de mari. Dans la fraîcheur du petit matin d'été, on entendait tout à coup, un «ta gueule!» exaspéré, retentissant et anonyme qui réussissait à clore la séance.

Mon sport favori, dans cette maison sans ascenseur, c'était de sauter dans l'escalier plusieurs marches à la fois. On lui comptait cent soixante-deux marches et, comme j'étais de corvée de courses plusieurs fois par jour, j'avais entrepris d'éliminer les marches les unes après les autres. Si bien qu'au bout de quelques exercices, je me retrouvais au rez-de-chaussée en douze bonds qui faisaient résonner le béton de la cage d'escalier de bruits désagréables. Des visages moroses sortaient alors des portes, tous remplis d'un silence réprobateur, de remontrances muettes. Ma mère, elle, ne se privait pas. À mon entrée, elle m'abreuvait d'une série d'invectives bruyantes, de discours piquants virant à l'aigre-doux qui refroidissaient aussitôt mes ardeurs de champion sauteur: «Tes sauteries, garde-les pour l'école. Ça te permettra peut-être de dépasser les autres, sans pour autant toujours rester en arrière.»

Aujourd'hui, vieil écolier assagi par les ans, je la revois encore en haut des marches, véhémente et cocasse. Elle n'était pas acariâtre, mais elle avait le verbe haut. Les mêmes engueulades déferlent encore dans l'escalier du simple fait que j'y traîne encore... écolier qui remet constamment son compteur à zéro, chiffre fétiche qui produit les cancres. Mais la réalité dépasse aussi quelquefois la fiction... Ces souvenirs s'estompent et mon frère, face ronde et plissée, des yeux fendus en trou de tirelire et le sourire du «roi des singes», vedette de l'Opéra de Pékin, vient de m'ouvrir sa porte...

Ainsi j'ai retrouvé avec étonnement le salon-salle à manger-chambre à coucher de ma sœur Odette. Une pièce, où tous les meubles, pour les trois services, se côtoyaient dans un voisinage ridicule. Mais le gros du meublant, ces gigantesques meubles «Henri II» convenaient à ma mère qui, faute de mieux, se contentait de dire qu'ils étaient presque neufs, et elle le répétait souvent. Rien de bancal dans ces œuvres d'art de grande série, mobilier surchargé et bien trop gros pour être vrai...

Nous avions été les chercher, ce buffet deux-pièces, ces huit chaises et cette table intransportable. Les frères les plus vieux avaient loué ce que l'on appelait une voiture à bras qui n'était en fait qu'une carriole sans cheval, dont la location était des plus avantageuses. Les deux montants des brancards étaient raccourcis pour pouvoir y atteler un homme. C'est ainsi que mon frère aîné, harnaché par nos soins, fut sacré baudet d'occasion. Il devait traîner sa lourde charge par la seule force de ses frêles épaules et avec la volonté d'être l'unique énergie de ce véhicule primitif qui fut inventé sans doute, tout juste après la roue. Nous aidions un peu, derrière, à pousser ou à retenir la carriole. Notre pauvre grand frère, sacrifié et arc-bouté sur ses brancards, les oreilles rouges, essayait tant bien que mal de diriger l'équipage. Quelquefois, la surcharge d'en arrière prenait le dessus, et mon pauvre Dédé, plus léger que l'air, soulevé pour un temps hors de la chaussée, pédalait dans le vide sans toucher le sol de ses jambes maigres, donnant l'impression qu'il arriverait plus vite.

Alors nous, les planqués de l'arrière, réajustions notre tir pour que notre pédaleur retrouve enfin le plancher des vaches. Il retombait lourdement avec toute la charge, ses deux jambes servant d'amortisseurs pour ne rien briser. Les oreilles plus rouges, il hurlait, nous expédiant invectives et recommandations que nous n'écoutions plus, appliqués à notre tour à pousser ou à retenir ce véhicule barbare.

La côte de l'Avenue des Gobelins fut difficile à grimper. Notre cheval à deux pattes commençait à renâcler, l'écume aux dents. Je présume qu'il regrettait de s'être jeté le premier dans les brancards. À la Place d'Italie, tel un carrousel sans but, il tournicota autour du square en rond, muet et reprenant son souffle. Il voyait bien que, ficelé comme il l'était, il n'avait aucune chance qu'on change le cheval. Mon pauvre frère André paya cher de sa personne ce déménagement: deux jours entiers au lit et une rancune retenue contre ses trois faux frères qui avaient peut-être abusé de la grande force de leur aîné.

C'est avec l'acharnement de toute la famille que nous étions parvenus à arracher ce mobilier, à bon prix, à deux vieux retraités de la rue Michel-Peter. Deux vieux rétrécis par l'âge aux yeux desquels ces meubles décorés de monstres apocalyptiques semblaient avoir grandi. Le vieux couple cauchemardeux se payait des insomnies devant tous les détails de leur salle à manger et, le jour, usaient leurs dernières énergies à frotter ces dragons baroques qui séparaient le vaisselier du buffet d'en bas. Bien qu'au repos, ces deux sculptures machinées semblaient crispées, écœurées peut-être de ne soutenir que de la vaisselle. Les portes du bas portaient en ronde-bosse certaines allégories que personne chez nous n'a su déchiffrer. Le tout, foncé au brou de noix plus noir que le goudron, donnait à l'ensemble de notre nouvelle «salle à manger-salon-chambre à coucher», une allure d'entrepôt morbide où essayait de dormir notre pauvre sœurette.

Le sort tombant infailliblement sur le plus jeune, je fus mandaté par ma mère pour m'occuper de l'entretien du nouveau mobilier; une «gâterie» sans doute! Oh, combien je me suis perdu dans toutes ces torsades, celles des pattes de la table et celles des huit chaises inconfortables! J'ai déchiré des linges sur les dents des dragons, rêvant qu'ils auraient pu, avant qu'on les achète, bouffer les deux vieillards. Pour les punir, on les aurait brûlés, ces meubles! Et je ne serais pas là à cirer et frotter ces chaises, plus hautes que moi. À travers le dossier canné de jonc, j'interpellais le vieux bonze, en faux bronze, bibelot sans signature qui trônait sur notre fausse cheminée. Dans ce confessionnal fortuit, j'avouais les idées assassines que m'inspirait notre nouvel ensemble. L'arrivée de ma mère, dans un sonore «T'as pas encore fini!» coupait court à toute absolution. Je traînais encore sur ces menus travaux, rêvant devant le bois travaillé de ces chinoiseries et de tous ces faux dragons de la salle à manger de maman Andréa.

Le quartier a beaucoup changé, je sais; mon frère et ma belle-sœur en portent les influences. Et ces chinoiseries, je les remarque jusque dans le mobilier, détails me direz-vous. Détail aussi que cette nièce qui vient de mettre au monde un bébé eurasien? Détail que je me remémore en redescendant, lentement, les marches du temple où ce bouddha de frère et sa bonzesse de femme n'ont jamais pris conscience de ce péril jaune, qui est, dès lors, chez eux.

Ma petite patrie s'efface doucement dans ce Paris cosmopolite et dont la langue a déjà quelques tendances à disparaître.

Suite et grand final au récit de Théramène ou encore *divagations d'un recyclé de l'art dramat!**

À peine sortions-nous des portes du treizième, il était sur son char!

«Non, non, et non! C'est pas ça, Buissonneau», criait le prof découragé. «Des portes de Trézène! Non pas du treizième!» Je le désarçonnais, lui, le savant, l'érudit. Il ne pouvait même plus m'en vouloir...

Amoureux du grand texte, il se perdait dans mon lyrisme topographique!

Ce récit, j'avais beau y penser, me ramenait toujours à mes propres racines...

---

* Texte publié dans *Les almanachs du théâtre UBU*, nº 1, Montréal, octobre 1990.

bornées par le XIIIe arrondissement, là, où l'on m'avait donné le jour!

«Les portes du treizième, connard!» Clamer ça devant toute la classe consternée et ce professeur qui me regardait, sans haine, dépassé. Il ne me voyait plus, cherchant à travers moi comme s'il essayait d'y découvrir par compassion un autre moi... perdu. Un moi qu'il pourrait peut-être recycler... comme machiniste.

Il est évident que vis-à-vis de monsieur l'auteur, j'étais d'un égocentrisme dévastateur et personne n'acceptait cette déviation. Ni le prof, ni les élèves.

J'eus la chance en ces temps lointains de n'être que l'élève d'un professeur inconnu, car si j'avais eu affaire à quelque Jouvet ou autre lion du cartel théâtral, mon histoire aurait tourné de théâtre en Scylla et je n'aurais plus jamais eu accès aux scènes parisiennes, ni même à un malheureux strapontin au fin fond d'une salle obscure, comme un vulgaire spectateur payant!

Je suis un ignare à mémoire défaillante, ourdie d'une sotte inattention, supportée par une culture paroissiale et républicaine qui ne dépasse même pas la périphérie d'un quartier parisien.

Qu'allais-je devenir? Mon rêve de jouer quelques grands rôles s'évanouissait.

Quant aux petits rôles, il ne fallait même plus y songer.

La galerie des personnages célèbres du théâtre français me faisait la gueule! Même les rôles de larbins, ceux de «Madame est servie» se dérobaient à moi. Réduit à me taire, je me suis tu.

Je devins un adepte du mime ou de la mime! Je laisse à d'autres le soin de découvrir le sexe de cet art du silence. Enfin à l'aise dans mon rôle nouveau, je n'avais plus à affirmer ma présence par des mots; mon moi entrait dans l'action sans passer par le détail laissant pour ainsi dire au public l'initiative de faire lui-même son propre cinéma. Ce bon public prenait à différents degrés ce qu'il voulait bien saisir de mes turlupinades mimodramatiques. L'ai-je entraîné celui-là dans ce quartier parisien! Plus n'était besoin de s'accrocher aux paroles des autres, acoquiné que j'étais à ma culture locale, par amour de mon propre passé, et le public, réduit à s'accoter sur elle.

Ainsi, c'est dans l'art du muet que je suis passé à la mise en scène parlante! Dès ce moment, la galerie des personnages célèbres cessa de me faire la gueule et, par un retournement ridicule, se mit à me courtiser, moi, le *big boss on the stage*!

Ils voulaient que je leur fournisse comédiens et comédiennes pour endosser leur peau.

Ah saloperie! ce que l'on courtise au théâtre! Alors j'en ai profité pour me farcir quelques premiers rôles féminins des plus coriaces, quelques Desdémone aux petits pieds, pas encore assez connues rendant leurs Othello plus cocus que dans leur propre pièce.

Juste pour me faire la main, je prenais mon pied. Puis, ce fut la grande série des auditions du matelas: des Elvire, des Roxane, des Hermione, une mégère apprivoisée qui me donna beaucoup de fil à retordre. Je me suis même tapé Juliette sans Roméo et j'ai eu beaucoup, beaucoup de plaisir avec les joyeuses commères de Shakespeare! J'ai évité de me commettre avec la bonne femme de Macbeth et aussi, par respect, avec l'Alouette de Jean Anouilh.

Après avoir forniqué avec les femmes savantes, j'ai refusé les offres du Prince du Danemark aux tendances trop raffinées, non par répugnance pour ce loisir anodin mais par une sorte de négligence de ma part, pour ce côté-là de mon ego.

Bref, mon devenir en «mise en scène» fut un véritable succès basé sur des idées simples et une recette aussi vieille que le monde mais évitant de recourir à des références livresques, culturelles... ou intellectuelles, comme disait l'autre.

Portrait robot de mon frère

«Ah! te voilà, toi!» Cri du cœur de mon frère René à mon arrivée chez lui après quatre ans de séparation. Sans frapper, j'étais entré dans son appartement.

J'avais devant moi un bouffon rondouillard, flagorneur et vieillot, le crâne rasé au quart de poil. Je reconnaissais encore son œil bleu métallique brillant, presque lubrique, ses paupières de caméléon qui lui permettent sans doute de regarder en arrière.

Assis sur un petit banc près de la nappe à carreaux de la table de cuisine, il me regarde, il jubile ou se moque, et se trémousse sur son cul comme s'il voulait faire pénétrer les pattes de son tabouret dans la céramique du plancher. Il me crie d'une voix claire, étonnante de jeunesse pour ses 70 ans: «Alors, tu fais toujours le con?»

Je reste muet devant mon clownesque frangin qui, encouragé par mon silence et le prenant pour un oui, continue sur le même ton tout en se dirigeant vers son poste de télévision pour ne pas manquer son émission préférée, *Des chiffres et des lettres*.

«Comme ça tu fais toujours le saltimbanque!» Sans plus s'occuper de moi, il se plonge, fasciné, crayon en main, dans le petit écran illuminé de science.

J'observe alors ce frère: plus clown, plus dérisoire que lui, il ne s'en fait plus! Trop vrai pour jouer autre chose que lui-même, un esprit de liberté, d'une liberté qu'il a défendue de façon viscérale. Il s'est battu contre des militaires, des flics, des civils, toujours à la défense d'une liberté qu'il plaçait bien au-dessus de tout le reste.

Il avait huit enfants quand, par un hiver glacé, il s'est jeté dans la Seine pour sauver une folle, prête à mourir dans l'eau froide... Médaillé pour cet exploit, il n'en a jamais parlé. Mon frère, sans concession, mourra un jour, sans savoir qu'il était dans la peau d'un grand clown: drôle, tragique et tendre à la fois.

Lettre à des femmes aimées

Je conserve des souvenirs merveilleux des femmes que j'ai aimées. Elles m'ont fait cadeau d'une foi infaillible en cette putain de vie si difficile. Elles ont fait éclater de beauté, de joie et de plaisirs des quotidiens pas toujours roses.

Elles ont modelé d'une tendresse impérissable le vieil homme en devenir qui regarde serein les ruptures anciennes avec un sourire qui se veut amusé, parce que ces drames-là sont souvent plus pénibles pour nous les hommes que pour vous, femmes de nos vies, plus sensibles aux idées de libération. La liberté vous la portez en vous, gravement, alors que nous laissons traîner les choses.

Et nous les hommes forts, mais aussi les gamins et tatillons et lâches, sommes fatalement soumis à votre liberté que vous portez si haut que j'ose vous envier.

Chères toutes, je vous garde désormais en secret dans mon cœur athlétique et je vous demande pardon pour mes incompréhensions passées... et à venir. Pardonnez-moi de vous avoir tant aimées... en silence.

Les excentricités d'un flamant rose

Les perpétuelles folleries qu'elle couve en elle sous les dehors d'une innocente dame, ma sœur Odette en a subi les conséquences. Toute sa vie, improvisant sur un mode accéléré, elle a eu le don de déclencher de petites catastrophes. Dernier exemple de ses frasques: une course avec un autobus, le surveillant tête retournée afin d'arriver la première à l'arrêt. Le malheur est qu'elle dépassa avec force et persuasion le tube de métal, entrant de plein fouet dans le poteau d'arrivée, le repliant sur la tête de deux maghrébins qui passaient gentiment sur le trottoir. L'un d'eux est resté couché, assommé par la violence de l'impact et la dureté du crâne de ma sœur... Quand je songe que «maghreb» signifie couchant en langue arabe, j'ose soupçonner ma sœur d'appartenir à quelque mouvement d'extrême droite ou, tout simplement, d'agir à la solde d'un quelconque ayatollah pour lequel elle exécute une vilaine besogne: celle de punir ses coreligionnaires émigrés trop portés sur la bouteille française, ce qui est assez mal vu dans ces religions-là... On ne rigole pas avec l'Islam...

Chaque mois, ma sœur coûte à la ville de Paris quelques poteaux indicateurs qu'elle plie avec son front et à la sueur de celui-ci. Elle a dû se plier elle-même devant quelques accessoires du trottoir un peu plus rébarbatifs comme nos becs de gaz d'avant-guerre. De vrais «résistants»! Ma sœur est une coureuse dans le meilleur sens du terme et rien ne l'arrête dans sa course folle.

Ces petits incidents ne font pas la une des journaux parisiens mais les échos des salles d'urgence de tous les hôpitaux de Paris.

Je n'ai pas toujours été témoin de ses extravagances, mais je peux témoigner de leurs résultats. J'ai vu ses jambes plus abîmées et plus colorées que les meilleurs arcs-en-ciel qu'il m'ait été donné de voir.

Quant à son visage innocent, et j'ajouterais même gratifié d'un semblant de bonté, on ne pouvait le voir qu'à de rares occasions. Elle réussissait à chaque retombée à le rendre méconnaissable, horrible même! Documents en mains, elle ressemblait parfois au fantôme de l'opéra. Même ses accidents les moins défigurants ont imprimé sur elle, copie conforme, l'image de ces sauvages qui décorent quelquefois les anciennes cartes géographiques des Caraïbes ou d'ailleurs montrant, tatoués des pieds jusqu'à la tête, des individus complètement nus paraissant quand même tout habillés.

Les tatouages accidentels de ma sœur maquillaient sa figure de la couleur du temps et notre baromètre de famille trouvait habilement le moyen d'accuser les autres de ses culbutes répétées. Elle avait le culot de dire que, personnellement, elle ne courait pas après!

Une histoire de chien orienta bientôt ses activités professionnelles, ce qui rassura immédiatement la famille qui imaginait que ma sœur diminuerait sûrement, à quatre pattes, la gravité de ses chutes.

Je savais qu'elle n'aimait pas les chiens. Elle en avait surtout une peur bleue, aussi bleue que les hématomes qui décoraient toute sa personne. Elle disait qu'elle ne détestait pas les chiens, mais qu'elle ne courait jamais après. Elle disait ça, naïvement, avec un méchant sourire, souvenir de sa toute dernière chute qui changeait sa grimace pour la xième fois, à nous faire croire qu'elle était toujours en première vitesse ou qu'elle faisait du ralenti...

Le charme de ma sœur résidait surtout dans une bonté frisant le masochisme. On l'aurait sûrement épousée si tout le reste avait équilibré cette grande bonté. Elle est restée fille.

Elle avait beaucoup d'amis cependant, et ils la convainquirent d'ouvrir sur les boulevards une boutique de laveuse de chiens! À notre grande surprise, elle accepta; sans doute pour ne pas déplaire à tous ses protecteurs. Ils lui firent miroiter le pactole en laisse que représentaient tous ces chiens sur les trottoirs de la ville. Ma pauvre sœur se méprenant sur ce pactole-là eut un haut-le-cœur assez bien camouflé, se posant quelques questions sur ses qualités de ramasseuse de crottes et se refusant de croire à une si triste fin de carrière. Fanatique des chiffres et des lettres, elle eut tôt fait de rectifier sa comprenure pour ne pas passer tout à fait pour une idiote. On bâcla vite l'affaire et, quelque temps après, ma sœur commença sa chienne de vie à bichonner tous ces cabots qui la regardaient en chien de faïence. Ces petites bêtes sont moins bêtes que les grosses; elles se rendaient compte qu'Odette ne portait point, à la race canine, une sympathie désintéressée. Elle les lavait, les dorlotait mais le cœur n'y était pas.

Un jour, pour leur plaire, elle s'est coiffée à la chien, coiffure ingrate quand la physionomie ne s'y prête pas. Cela rendit les chiens furieux: se moquait-elle d'eux? Ils ne reconnaissaient ni les peignures ni l'intention, et ma sœur dut aller se rhabiller pour retourner chez son coiffeur.

Dès lors, ils vécurent comme chiens et chats dans la minuscule boutique de ma sœur qui, délaissant pour une seconde sa naïve candeur, acquit la certitude que tous ses bons amis lui avaient fait cadeau d'un chien de leur chienne.

Malheureuse à torcher tout ce monde à quatre pattes qui la regardait de haut, chiens snobs, plus prétentieux que leur maître à qui, d'ailleurs, ils ressemblaient: pékinois, loulous, fox et terriers, boxers et puis dogues de Bordeaux et d'ailleurs, bassets, saint-bernard, chows-chows et caniches...

Parlant caniches, c'est justement un de ces toutous-là qui mit fin à sa spécialité de shampouineuse. Un malabar de caniche, trop gros pour être honnête et dressé pour l'attaque par un maître malingre antipathique et complexé. Ce géant de frisé sur quatre pattes avait les yeux à la hauteur de ceux de ma sœur, c'est dire la hauteur qu'il avait lorsque l'envie lui prenait de se mettre debout sur les pattes de derrière, celles de devant juchées sur les deux épaules de ma parente terrorisée. Ce chien la rendait folle! Et comme c'était un mâle et que son sexe, bien qu'au repos, arrivait au nez de ma pauvre sœurette, elle ne savait plus comment le faire redescendre dans une position plus modeste. Courbée vers l'arrière, elle criait: «Couché, bébé! Couché!» L'odieux coquin retroussait ses deux petites babines pour montrer ses petites dents pointues et grognait sur un mode continu, de mauvais poil, en maintenant plus fermement encore ses deux pattes de devant sur les épaules d'Odette. Une danse ahurissante s'engageait alors dans une valse hésitation, ce couple baroque singeant les personnages d'une boîte à musique ancienne.

Elle avait tout fait pour amadouer ce chien, et je crois même qu'elle aurait fait le trottoir pour ce maquereau s'il le lui avait demandé.

Il avait en horreur les bains de la laveuse. Un jour, croyant avoir gagné son point en vidant sur lui une demi-bouteille de son meilleur produit, ma sœur commençait à frotter l'animal. Le clébard vicieux profita d'un instant d'inattention pour sacrer son camp par la porte restée ouverte...

Il courait sur le boulevard, heureux de liberté et de shampoing. Ce dernier, gonflé par le courant d'air que provoquait la course, lançait à la volée des petites bulles transparentes qui s'échappaient de la fourrure, tourbillonnant devant les badauds ébahis.

Ma sœur n'avait pas attendu son reste et dédaignant le téléphone s'était jetée à son tour dans ce marathon, encouragée par tous ces gens qui croyaient sans doute assister à quelque prise de vue d'un film publicitaire excentrique. Tous cherchaient la caméra; ma sœur, elle, cherchait son caniche, la tête penchée vers l'avant pour mieux voir. Ses courtes pattes déboulaient à une vitesse telle qu'on ne voyait plus ses pieds. À trois ou quatre coins de rue, comme un chien dans un jeu de quilles, elle percuta une mobylette car elle n'avait d'yeux que pour son caniche. L'homme sur la mobylette s'envola pour atterrir sur l'auvent d'un bistro où il fut oublié. La mobylette et ma sœur glissèrent jusqu'aux pieds d'un sergent de ville qui prenait du service à l'intersection de l'avenue et qui se demandait ce que faisait cette dame en tablier bleu, les manches retroussées, avec des gants de chirurgien, couchée tendrement si près d'une petite moto.

Ma sœur tentait maladroitement de se relever mais sa jambe, barrée et repliée sous elle, ne pouvait plus reprendre sa forme première. Finalement, elle s'est mise debout, au milieu des véhicules comme un flamant rose égaré, une patte en forme de chiffre quatre, nullement gênée par la foule accourue. Le chien dans la première rangée jappe vers elle, encore tout fumant d'une brume chaude se dégageant de sa toison mouillée. Encore sous le choc, ma sœur explique à l'agent qu'elle a été frappée par une mobylette sans chauffeur... et quand le policier veut la soutenir, elle jappe à son tour sans raison vers lui et vers son caniche qui a l'air de trouver la situation cocasse.

Comme elle a moins le sens de l'humour que l'animal et que les chiens ne sont pas son dada, à partir de ce jour, elle prit en grippe la race canine au grand complet. C'est en clopinant sur sa patte valide qu'elle se replia vers l'ambulance, déclinant mordicus l'aide des infirmiers avec une détermination énergique et suicidaire.

Dépêché sur les lieux, mon frère André essaya d'influencer l'handicapée pour qu'elle s'étende au moins sur la civière; sèchement, elle refusa. Tirant la langue au grand caniche qui trouvait quant à lui qu'elle prenait un peu trop la vedette, elle alla se placer tant bien que mal à côté du chauffeur ahuri, pendant que mon frère allait, lui, s'écraser sur la civière. Porte fermée, sirène en marche, le temps, alors, prit un coup d'chien! L'ambulance démarra bien vite, il ventait. Le policier sur son rapport inscrivit sans autre précision que l'accident avait eu lieu entre chien et loup, entre une mobylette et une dame confuse, avec une jambe en chien de fusil...

Mon frère André, honteux et sur le point de s'endormir, trouva que c'était une vie de chien que d'avoir une sœur pareille.

Odeurs anciennes

Les souvenirs anciens portent en eux leur odeur, comme l'ancien combattant porte ses médailles. Jumelage de l'image à son odeur propre pour mieux nous rappeler l'événement.

Ce mélange discret se glisse parfois en moi comme le cadeau d'un souvenir égaré retraçant les plus profondes images d'une mémoire perdue. Légère fragrance qui baigne tous mes sens sans que je puisse lui donner un nom. Il se développe alors une vision concrète, embrumée d'âge, un décor oublié, qui se joint à mes souvenances olfactives pour me ramener aux sources mêmes de ma culture singulière.

J'ai connu ce phénomène dans un hôtel de Chicago. Perdu au milieu des drapeaux crasseux de plusieurs nations, un spectre! Une vieille femme immobile surveille les entrées et sorties de cet hôtel de seconde classe. Fardée à outrance, elle cherche à cacher les ravages d'un âge plus que canonique non pas par un maquillage, mais par un lot de graffiti soulignés de taches de couleurs qui ne sont plus utilisées que dans les cirques.

Impassible entre les drapeaux qui se dressent autour d'elle, décor-catafalque impressionnant, elle semble sortir de la série des toréadors de Pablo Picasso. Une odeur de poudre de riz, vieillie par les années et émanant du tiroir d'une des commodes de l'hôtel, accompagne ce tableau tragique. Nature morte d'un être planté là, fièrement entouré des étendards du monde.

J'ai retrouvé un jour cette odeur de poudre dans un grand magasin de l'ouest de la ville. Parmi les étalages de dessous féminins, un effluve léger monta si soudainement à mes narines que je crus en perdre l'équilibre, là, dans la foule. L'image de la dame américaine me revint à l'esprit, image fugitive que je n'ai pu poursuivre, image que mon imagination avait su recréer grâce à l'évanescence d'une poudre de riz bon marché. J'imagine qu'aujourd'hui la dame de 1947 est plus morte que jamais. Mais cette odeur recréera toujours cette obsession chez moi de quelques-uns des portraits de toréadors du peintre génial.

À Martin, mon fils

Il est né le divin enfant

3 avril 1956! «Ça va, la mère est correcte», me dit le docteur.

Une salle d'attente où les futurs pères usent les tuiles caoutchoutées, rien que des traîne-savates honteux de leurs fornications et coupables quand même des souffrances de leur pauvre femme. «Ça va, la mère est correcte, me dit le docteur. Tu viens voir ton gars?»

Un long couloir que le toubib déambule à une vitesse que j'ai du mal à imiter, brusque arrêt devant une énorme vitrine où toute une bande de turbines à caca grimacent dans de petits berceaux comme des singes réveillés par une lumière trop forte...

C'est quand même superbe, ces paquets d'humanité fraîchement pondue. Il y en a de toutes les sortes! Tous, un peu rougeauds, inconscients, se croyant encore dans les limbes des eaux maternelles, semblent nager mal synchronisés vers un rivage dont ils ne voient pas le bout!

Putain de vie! Difficile d'y arriver, difficile de la passer... Difficile de la finir...

Je cherche mon petit nageur, je cherche mon bébé. «Rendez-moi mon enfant!» suis-je en droit de crier devant ce gang de nouveau-nés inconscients et braillards, gueules ouvertes. On croirait des poissons: on n'entend point les bruits derrière la vitre d'aquarium. Mon regard tombe alors sur l'un de ces petits. C'est le choc. La voix du sang peut-être. Mon regard s'est arrêté devant un petit malingre dont la peau craquelée tire vers le brunâtre. Un métèque, un bébé métèque! C'est la première fois que j'en vois un de si près. Ils sont tous jolis, tous ces mômes, sauf lui! Et le docteur me le désigne comme étant bien le mien, le fruit de mes entrailles! Quoi? C'est lui! En premier plan, je détaille un petit vieux *laite*, le cou tordu de travers, compressé par les pinces de l'accoucheur qui ont laissé leur marque jusqu'à déformer la mâchoire. La peau est craquelée comme le simili-cuir-croco de certains sacs à main bon marché.

Le pauvre petit s'épluche comme un oignon; sa peau tombe par petits morceaux comme une petite momie qui se déshabillerait pour un strip-tease infantile. J'ai l'impression que nous avons enfanté un petit crocodile, sans dents! Tant pis! Nous l'emmènerons quand même chez nous. Mais s'il continue de s'éplucher, en restera-t-il assez?

Pardonnez-moi, mon Dieu, je ne savais pas ce que je faisais!

Pourtant, à la réflexion, pas la moindre gonorrhée dans les folies de ma jeunesse! Chez ma pauvre moitié, ma pauvre femme, plus moitié que moitié, catholique et canadienne-française *au boutte*, rien de ce côté-là non plus! Alors, une épreuve du Bon Dieu, peut-être? Ah, celui-là avec ses jeux scouts et ses minauderies, ce qu'il pouvait me tomber sur les rognons! Foutez-nous donc la paix et laissez donc faire la nature! Dieu est innocence lui aussi; il aura sans doute confondu mes exhortations sacrilèges avec une prière futuriste nouvelle liturgie.

La nature a bien fait les choses. Le petit est devenu grand, il a troqué son pyjama de peau serpentine contre des *blue jeans*, il est devenu un petit Monsieur Tout-le-Monde...

À la réflexion, je regrette beaucoup mon petit phénomène à l'épiderme craquelé comme un serpent qui aurait peut-être pu se produire dans un numéro de contorsion. Sait-on jamais? Au Cirque du Soleil par exemple... Mais tu rêves encore, mon pauvre Paulo!

La fiesta chez Mandine

Amandine ma belle-mère et Hector mon beau-père étaient tous deux de belle province, tous deux de belle prestance. Leur maison, dans les quartiers d'Outremont, était épinglée sur la rue de l'Épée, petite maison bourgeoise au charme vieillot qui feutre les choses et les gens d'une chaleur lumineuse et discrète.

Quel beau couple! Et j'ose vous dire que je n'ai jamais réussi ce couple-là avec leur fille; elle non plus du reste, avec moi. Chères fiestas des dimanches midi, après les jours d'une semaine où la vache enragée faisait partie d'un quotidien olé!

Mon maigre salaire arrivait à peine à payer mon petit loyer. Ces midis tapants dissipaient les mauvais jours dans les odeurs suaves de la cuisine de ma charmante belle-maman.

C'était une femme superbe, à la peau nacrée, tout droit sortie de l'objectif de Félix Tournachon dit Nadar, un talentueux photographe du siècle passé. Mandine, ainsi l'appelait son petit mari, avait le port d'une reine anglaise avec, en plus, un meilleur goût pour l'habillement. Il se dégageait de toute sa personne une grâce un peu désuète qui s'harmonisait au décor de cette maison sans style. Avec eux, j'avais l'impression de revivre à l'envers, et ces dimanches, je les aurais voulus interminables.

La table de la salle à manger resplendissait d'argenterie, de cristal, et Mandine, en apportant les hors-d'œuvre, s'excusait déjà de la frugalité de son repas qui me semblait, quant à moi, somptueux. Alors, Hector vidait avec précaution dans nos verres un vin sans étiquette, tiré d'une carafe étincelante pendant que madame, avec les gestes délicats d'une geisha, emplissait nos assiettes immaculées sous l'œil guilleret de son Hector de mari.

Sanglé dans son gilet, pète-sec de tempérament, il attendait avec impatience l'arrivée du morceau de bœuf, taillé à la mesure de son appétit! Oh! les beaux jours! Oh! le beau rosbif juteux, découpé dans je ne sais quelle fesse qui grésillait encore en arrivant sur la table, suivi de la maîtresse de maison. Elle semblait vouloir attraper le plat fumant qui s'échappait au-devant d'elle. «Attention! c'est chaud», disait-elle, jetant çà et là sur nous un regard presque sans couleur, d'un pervenche léger comme un nom de parfum. La fragile Amandine croisait alors mon regard; son clin d'œil complice semblait me dire: «Ça ne sera pas long!», et une belle grosse tranche rouge et brillante arrivait baignant dans un jus bronzé à l'os, juste à point pour vous balancer sous les papilles impatientes cette odeur gourmande du jamais goûté. Ça vous fondait dans le compartiment de la mâchoire, ça madame, pendant que Mandine, le regard perdu par tant d'efforts, grignotait au bout de la table, une tranche si mince qu'on voyait au travers le blanc de son assiette.

Le beau-père dégrafait quelques boutons de son gilet avant de s'attaquer à la bête. L'air sévère, le front grimaçant, il plantait fourchette et couteau avec un ensemble parfait et, détendu, débitait avec sérieux son morceau de rosbif. Le contraire d'un sanguin: un dévoreur!

J'aimais beaucoup ce Charlie Chaplin qui ressemblait à l'autre. Il aimait rire, d'un rire profond faisant grimacer tous les muscles de son visage, la moustache de travers. Pour attirer l'attention des autres, peut-être? Lorsqu'il mangeait, c'était sérieux; il attaquait les morceaux de viande de toutes ses canines, comme les grands carnassiers, puis faisait avancer le tout vers les armées d'arrière-garde: un paquet de molaires musclées qui se mettaient en branle et qui, patiemment, réduisaient les morceaux en steak tartare. Alors, Hector, caquet et menton bas, les yeux au ciel, semblait demander pardon au bœuf de trop bien le mastiquer.

En attente et tout à l'observation de mon beau-père, je risquais parfois de rater les petits signes de ma charmante belle-mère qui m'invitaient à un revenez-y de dernière minute.

Mon assiette fragile faisait alors une volte-face rapide dans l'espace devant un service de table outré de mon inconvenance. Mouvement récupérateur à la volée, comme au tir au pigeon, pour rattraper une autre tranche de ce malheureux rosbif qui tiédissait gentiment dans son plat d'argent. Aujourd'hui encore, je repense avec tendresse à ce couple, vieux anges de ma jeunesse et dont nous parlait le petit catéchisme, que j'avais trouvé dans leur nid d'Outremont.

À Josée Blanchette

La bouffe!

J'aurais voulu être un prince de la table. Je ne suis qu'un goinfre, un bâfreur, un gueulard...

Je mange beaucoup. Je mange trop. Mais à mon corps défendant, je ne mange que de bonnes choses et je crois que je dois à mes choix de bouffardise un état de santé presque satisfaisant, compte tenu de mon âge.

Je dois à mes bouffes répétées cet embonpoint qui fait de moi un adepte de la pression haute et de l'hypoglycémie galopante que je tente de maîtriser par un divorce permanent d'avec le sucre sous toutes ses formes.

Je m'efforce de ne manger que nature, et ma nature même ne s'en porte que mieux.

La bouffe, c'est ma messe du jour!

Mes louanges à Dieu qui a mis à notre portée les merveilles de la noble cuisine!

La bouffe, c'est un rituel où le fait de souper en compagnie demeure l'événement élégant, indispensable, merveilleux, euphorisant.

Oh! combien de cravates sacrifiées à ces agapes quotidiennes où la tenue vestimentaire demeure à mon sens d'une rigueur sans équivoque.

Pour moi, la bouffe sera toujours «une dernière cène» qu'il ne faut pas rater.

Rencontres familières, familiales, amicales et, bien sûr amoureuses, où nous devenons au pousse-café ni tout à fait les mêmes ni tout à fait autres. La bouffe, c'est ma drogue. Au restaurant, en salle à manger privée ou même en cuisine, elle est toujours la salle des fêtes de notre maudit quotidien, le lieu d'écoute et de parlure où les choses les plus anodines viennent se graver dans le fond des assiettes.

Quel privilège, quelle joie que celle d'être servi! Joie bourgeoise, j'en conviens, mais combien reposante. Doté du privilège des assis, je me soumets à ces garçons, à ces filles de table qui prennent soin de nos appétits avec sympathie, sérieux et quelquefois avec amour et charité. Merci gentils restaurateurs. Merci petits bistroquets qui savent si bien comprendre mon estomac et si bien le recevoir. Merci de si bien pardonner mes excès gastronomiques. Merci à toi, toi l'Auvergnat!

Que mon admiration aille à tous ces artistes de la cuisine qui garnissent mes intérieurs jusqu'à la jouissance, jusqu'à l'extase extrême d'un dessert amoureux qui, même s'il est le dernier, fait de moi un être privilégié, soumis, attendri, reconnaissant. Un être civilisé.

La bouffe est un art éphémère! Elle est aussi un remède contre la déprime; elle nous aide à surmonter la connerie d'un patron incompétent, d'un deuil en blanc pour oublier quelqu'un ou quelques-unes.

Elle est remède pour maintenir en moi cette étrange patience qui combat fermement la vitesse de nos horloges qui, infailliblement, me précipitent vers ma fin.

La bouffe me laisse à mes illusions et me fait croire en des jours meilleurs et, de bouffe en bouffe, me mène gentiment au nirvana de l'oubli.

Jalousie

(sur un air connu)

Jaloux! Oui, je suis jaloux!

Jaloux à en devenir malade, jaloux à ne plus manger, jaloux à tuer!

Oh! bienfaisante obsession régénératrice de nos faiblesses amoureuses, feu qui couve en notre cœur saignant, gardien des érotismes défaillants, des amours qui s'éteignent!

C'est le fantasme du délire amoureux, désir délirant. Je ne suis plus aimé! Je vais mourir... sur d'incertaines suppositions. Sujet tabou. J'ose ici me proposer comme le cobaye idéal de la jalousie obsessionnelle: amoureux, donc jaloux!

Ma passion est incontrôlable; cette jalousie est la plus dangereuse puisqu'elle est aveugle. Elle m'empêche de voir clair en ma propre névrose. Jusqu'où peut aller ma jalouse paranoïa? Je ne sais. Ou plutôt, si, je le sais!

Il me faut joindre tous ces délaissés, ces chanteurs de pomme professionnels, ces poètes de la romance, ces Don Juan du métro en chanteurs, tous ces mâles mal aimés dont les souffrances vont mourir à cloche-pied dans des complaintes populaires.

Grâce à vous, muses inspiratrices de nos jalousies incontrôlables, nous gravons dans les sillons de nos disques compacts, les marseillaises de nos amours passés. Mille mercis encore puisque vous avez l'élégance de ne jamais réclamer les droits d'auteur de vos ruptures que nous délirons tristement sur quelques notes folichonnes... à l'image de ces chansonniers d'un concert «Pacra» de province.

Je t'ai dans la peau — et je t'aime — tu m'aimes-tu — dis-moi que tu m'aimes — malade, je suis malade — si toi aussi tu m'abandonnes — ne me quitte pas.

Je suis seul ce soir — la maison vide — mademoiselle s'amuse — il est trop tard — j'ai bu — que reste-t-il de nos amours — quand on a que l'amour — le mal de vivre — la jeunesse fout le camp.

Méfiez-vous des fillettes — histoire ancienne — plaisir d'amour — mais qu'est-ce que j'ai? — je cherche après Titine — je ne peux pas rentrer chez moi — j'attends Adèle — je te veux — emmène-moi au bout du monde — nous dormirons ensemble — je t'aime, moi non plus.

Jolie môme — ne me dis plus rien — je ne regrette rien — nous n'étions pas faits sur mesure — pour en arriver là — à quoi ça sert l'amour — pour la vie — on m'a volé tout ça — pour une amourette — les prénoms effacés — petits chagrins — sombre dimanche — n'avouez jamais — le petit bonheur — Inch Allah!

Vous n'êtes pas venue dimanche — Rosalie, elle est partie — la rupture — la solitude — souvenirs, souvenirs — sans lendemain — vous qui passez sans me voir — love me, please love me — tout est permis quand on rêve — un amour comme le nôtre — tu me demandes si je t'aime — tu ne le sauras jamais — tu ne peux pas te figurer — la vérité — un jour, tu verras — tu le regretteras.

Quand l'amour meurt — tu t'laisses aller — viens au creux de mon épaule — tout comme avant — qui suis-je — un monsieur attendait — la valse des regrets — la ronde des cocus — j'en ai marre — comment te dire adieu.

L'amour avec toi — la poupée qui fait non — le cauchemar — tu ne sauras jamais — quand l'amour s'en va — non, je ne regrette rien — il n'y a pas d'amour heureux — j'attendrai — est-ce ainsi que les hommes vivent — ne dis rien.

Je tire ma révérence — adieu Hawaï — adieu Lisbonne — adieu Venise provençale — que c'est triste Venise — adios amor — adios amigos — adios Anita.

Capri, c'est fini — voilà pourquoi nous n'aurons pas d'enfant.

Assez! ça suffit on a compris!

(Cette dernière apostrophe est de l'auteur lui-même.)

Le club des gros

Il y a quelque temps, le gros Gérard Vermette me téléphonait, me demandant de me joindre à lui pour fonder «le club des gros». Il énumérait les belles pièces qui se joindraient sûrement à nous: les Ginette, les Suzanne et d'autres, moins populaires, mais tout aussi rondelettes que nos vedettes aimées.

Je me sentis visé par ce téléphone jusqu'au plus profond de moi et considérai cette demande comme une atteinte à ma modeste personne que je trouve (oh combien!) moins importante que celle du gros Vermette! Je refusai net, outré par cette offre incongrue qui me cataloguait d'emblée dans la catégorie «poids lourds».

Gérard Vermette s'est exilé à Miami pour bronzer ses gigots, tandis que les miens, pâles comme du lait, je les promène cachés dans un bermuda discret enviant Gérard de son exil ensoleillé.

Je regrette d'avoir dit non à la création d'un modeste club pour importantes personnes. Aussi, aujourd'hui, devant mon miroir, je tente de retrouver le bambin que j'étais.

Seule, devant moi, une silhouette de bande dessinée qui n'est certes pas sortie de l'imagination d'un humoriste malade. Non, ceci est mon image! Ceci est bien mon moi-même. Une inquiétude prémonitoire attire cependant mon attention sur la disparition de mon nombril, obsédant point noir du regard narcissique... plus rien qu'un trou d'ombre! Il était pourtant là le seul lien qui soutenait ma croyance dans laquelle j'étais né de quelqu'un! Je serais donc orphelin deux fois... et ce ventre, ce ventre qui vient vers moi dans ce miroir quand je l'approche, sans-gêne insolent!

Dis-moi miroir, dis-moi qui je suis? Tu es gros! Oh, la vache! Si sept ans de malheurs n'étaient rattachés à ses mille morceaux, je le mettrais en miettes ce salaud! Mais lequel est le plus salaud des deux? Là est la question! Même en mille, même en cent un morceaux, l'image reste la même... celle d'un gros!

Mais alors dois-je renoncer à ce passé qui me colle à la peau et que je transporte dans mon alentour qui était autrefois si mince, si athlétique et qui, à mon meilleur... j'ose le dire, je trouvais si beau? Eh oui, ne vous en déplaise! Quelle turpitude que ces chiffres de l'âge qui grandissent au même rythme que ceux de la balance; je fais donc partie désormais d'une minorité indéfendable: «Les gros»!

Mais à quoi dois-je cet embonpoint? À qui dois-je ces surplus? Je n'ose plus accuser la guerre où tous, citoyens inconscients du beau pays rêveur, nous avions reçu la visite surprise de nos voisins teutoniques. Il n'a fallu qu'un seul hiver pour que la faim s'installe en même temps que ces touristes en uniforme. Un seul hiver, et nous sommes devenus ascétiques au profit du grand gourou de l'est qui nous faisait trimer sur les efforts d'une guerre qui ne nous concernait plus.

1940-1941. Où suis-je? Où étais-je? Je n'étais plus là!

Devenu gazelle, oiseau, souris même... que sais-je? Même les mots primesautiers, airelles, Icare me paraissaient lourds et n'avaient plus de sens pour moi.

Descendant l'escalier, maigre comme un clou, je ne touchais plus aux marches... Je montais, je montais, léger comme l'air de mon estomac. Plus grave encore, je devenais mystique! Était-ce une impression? Je me sentais vide de mes substances: pancréas, reins, vessie, artères iliaques et primitives, artères et veines supérieures, vésicule, foie, poumons, veines jugulaires et veines sous clavières... tout, y compris le gros et le petit intestin plus grêle que jamais! Tout, absolument tout était vidé de ses substances vitales... Seul un léger gaz, tendre et triste, élégiaque, remplissait le tout, retenu sans peine par un rectum civilisé et incorruptible. Toute cette retenue, toute cette légèreté comme un appel, sans doute. Enfin, je le croyais. Un appel vers le ciel!

Saint Paul, priez pour nous! J'étais squelettique. Saint Paul, un squelette et sa peau élevé au martyrologe par tous ces gaz... là-bas, par-dessus les toits comme disait l'autre. Est-ce possible, Seigneur? M'aurais-tu abandonné?

Le destin a mis sur ma route céleste une bonne marraine délinquante et tricheuse, concierge par surcroît, et athée, j'en suis sûr. Elle a fait avorter ma nomination précoce sur tous les saints en lice; elle a brisé net ma vocation de fakir et, comme l'autre au troisième jour, expédié illico ce qui restait de moi, en vue de me gaver et me sauver d'un martyre dont je ne voulais plus.

En plein pays normand, j'ai fait la connaissance d'une dame, fermière de son état, qui louait les services d'un verrat plus cochon que nature pour repeupler en ces temps difficiles ce si beau pays de cochonnets grassouillets qui devinrent tous un peu mes frères. C'est là que j'ai découvert le beurre, le sexe, l'œuf, le bœuf et l'âne, et encore le beurre... et aussi le cholestérol!

Un nègre en sous-sol mineur

Quelle baraque que cette maison aujourd'hui enterrée par des cubes en étages grimpés les uns sur les autres, une tour de Babel qui finira comme l'autre, au train où vont les choses!

Cette ancienne maison avait dû connaître les fastes de ces grandes familles ruinées par quelque rejeton délinquant, plus avide de profiter des gros sous du papa que de faire fructifier le trésor familial. Petit château de pierres rouges, de celles que l'on trouve encore au-delà du fleuve dans cette île, face à la ville. Boiseries de chêne vernies, maison divisée sommairement par étage en cinq appartements tous aussi délabrés les uns que les autres, vieux fils électriques datant du début du siècle, toilettes archaïques, évier de cuisine bouché jusqu'aux égouts, tout était à l'avenant pour conserver un style à toutes ces cochonneries.

Une odeur bizarre sortait des interstices des murs et des planchers; il fallait vivre la fenêtre ouverte pour refouler ces senteurs fétides à l'extérieur de l'édifice.

J'habitais le penthouse de ce taudis de luxe. À l'étage du dessous, une superbe Ophélie avait pris possession d'un logis qu'un acteur populaire avait sous-loué. Au rez-de-chaussée, un musicien compositeur recevait en première bouffée les exhalaisons fétides qui baignaient constamment son inspiration: cet air conditionné nous obligeait souvent à des sorties improvisées, juste le temps de respirer autre chose. Notre gérant d'immeuble, homme à tout faire le moins possible, grec d'origine, essayait avec beaucoup de bonne volonté de maintenir notre panthéon en maison habitable. Je lui ai fait remarquer maintes fois ces odeurs persistantes qui parcouraient tout l'édifice, tentant par d'hypocrites et insistantes questions de lui faire avouer qu'il faisait cuire trop souvent du chou. On connaît les vapeurs puantes que ces crucifères dégagent au cours de leur cuisson... Non, rien à faire de ce côté, d'autant plus que mon Grec trouvait plus son bonheur dans le fumier de nos sacs verts que dans le vétiver du parfumeur Guerlain.

Habitué aux poubelles, son nez ne connaissait que les senteurs des restants de table refroidis de la veille car, chaque jour, il fouillait nos ordures pour connaître nos dépenses journalières en termes de nourriture. Il nous sermonnait sur nos folles agapes et notre manque de prévoyance quant à notre avenir artistique, prédisant pour nous une fin misérable que nous aurions bien cherchée.

Il avait un œil du maudit et il se trompait rarement quant à nos folles dépenses mais, à la longue, il nous fatiguait avec son espionnite de vidangeur.

Voilà pourquoi je déposais mes sacs à ordures à trois ou quatre coins de rues de là, si bien que mon trieur de vidanges, flic de mes poubelles, devant l'absence de mes détritus, en a déduit qu'une crise d'économie avait fini par avoir raison de mes gaspillages de gourmand bâfreur.

Un couple bizarre vivait dans le soubassement. J'ai croisé quelquefois l'homme de ce sous-sol. C'était un Noir aux yeux étranges qui lavait la vaisselle dans de petits restaurants. Assez craintif, il filait son chemin, rapide, psalmodiant un bonjour incompréhensible, un gémissement, un reproche d'esclave déraciné de ses paradis perdus. Chaque fois, je ressentais le même malaise, la même sensation. J'aurais voulu le connaître, mais il était secret et se gardait jalousement. Nous étions tous célibataires dans cette maison paisible qui perdait sa tranquillité chaque samedi matin, quand le couple du sous-sol entrait dans ses transes conjugales. Un flot de hurlements, des cris garrochés à la volée, un jargon rapide, un délire de mots. Tantôt l'homme, tantôt la femme. Une scène de ménage étrange égayait les lève-tôt, tandis que les autres maugréaient en silence contre ces pauvres nègres qui vidaient dans les cris leur trop-plein de colère... Je ne comprenais que quelques mots qui traversaient ce jour chômé où la plupart des gens paressent. La furieuse mélopée du laveur de vaisselle et de sa dulcinée dérangeait quelque peu le petit peuple avare de son repos, et en même temps, d'autres se pressaient en paquets sur leur balcon pour comprendre le charabia qui venait du sous-sol.

Il ressortait toujours de ce rituel les mots feu, démon, sorcière et autres litanies diaboliques qui allaient mourir dans la rue, dispersées par la circulation abondante des départs matinaux.

Le compositeur mélomane est parti, chassé par ces bruits et l'odeur persistante qui filtrait des murs, incrustée à vie dans toute la maison.

Plus de piano en résonance, plus de musique qui pouvait égayer en mineur ce que nous respirions en majeur. Ces désagréments devinrent le seul sujet de discussion entre la comédienne et son amant ministre qui ne pouvait plus se permettre de transporter au parlement ces odeurs circonspectes. Elle était tenace, cette odeur de fumier, et il refusa net de s'exposer encore à ces émanations et à la risée de tous ses adversaires de l'opposition.

Nous n'étions plus que deux à rester dans cette arche de Noé, ayant l'impression de voguer dans les égouts sans l'espoir qu'à la fin de la course nous atteindrions enfin notre Ararat.

À défaut d'Ararat, un soir d'hiver, j'ai trouvé mon Waterloo. Devant la porte d'entrée, refoulé par l'odeur nauséabonde, je m'assis sur les marches, découragé, vaincu. Je réfléchissais alors aux démarches qui permettraient à mes poumons de vivre décemment lorsqu'une voiture de police s'arrêta pour me demander si j'avais des problèmes. À deux heures du matin, un bonhomme assis sur des marches de pierre en plein hiver n'est pas un spectacle courant, même pour deux polices. J'expliquais le problème des odeurs refoulantes, ajoutant que cela durait depuis plusieurs mois.

Devant l'air narquois des hommes en uniforme, je me sentis jugé comme un marginal poète-ivrogne-divagueur, mandaté par quelque nouveau parti de gauche et bouffant du flic en se moquant d'eux!

Quoi qu'il en soit, devant mon insistance les deux hommes ouvrirent la porte pour aussitôt la refermer. Du coup, je redevenais crédible et tout à fait normal. Nous montâmes rapidement au troisième étage et, après avoir distribué à mes deux enquêteurs une poignée de papiers mouchoirs imprégnés de parfum, nous redescendîmes l'escalier jusqu'à la porte du sous-sol d'où semblaient sortir les effluves les plus forts. Ils frappèrent à la porte. Une voix plaintive balbutia en anglais quelque chose que je ne compris pas. Après une légère attente, l'un des flics décida de tourner la poignée mais la porte s'ouvrit d'elle-même: le nègre à genoux semblait prier devant deux petits lampions rouge et vert, ce qui changeait la couleur de sa peau en un sinistre gris *charcoal.* Il cria vers nous: *It's the WITCH! It's the WITCH! It's not me! It's the WITCH!* (C'est la sorcière, ce n'est pas moi.)

En lui parlant doucement les policiers apprirent qu'il était seul. Ils entrèrent et ressortirent aussitôt m'expliquant que le sol recouvert de papier journal était couvert d'étrons déposés comme des meringues et siégeant par ilôts dans tout l'appartement.

Ils lui passèrent un manteau et disparurent avec lui. Atterré par cette histoire, je me sentis coupable envers cet homme gris, coupable d'une dénonciation que je n'avais pas voulue.

Délateur et témoin, je dus témoigner contre lui en cour municipale et jurer sur les Saints Évangiles de dire la vérité, toute la vérité, cette vérité si difficile à dire quelquefois. J'appris en cour qu'il souffrait d'un dédoublement de personnalité; il s'inventait des scènes conjugales pour meubler ses jours de congé et tromper ainsi sa solitude.

Notre jardinier d'immondices engrangeait ses récoltes derrière la maison enveloppées dans ses gazettes et empilées dans de grandes boîtes de carton, où l'on pouvait lire le nom de différentes marques alimentaires.

C'est ainsi que mon pauvre nègre scatophile, dans sa douce folie et voulant sans doute oublier ses hallucinations, transforma notre maison en une énorme fosse septique pour y noyer toutes ses visions démoniaques.

Le retour à la terre ou *le pouce vert*

La salade, les plantes vertes et même l'innocent légume foisonnent du pot-au-feu à mon assiette creuse... preuve indéniable que ma fourchette est verte; tout comme mes deux pouces, du reste, celui de ma main droite et celui de la gauche; nulle ségrégation, j'ai le pouce vert dans les deux mains. C'est un don, dit-on, qui fait de nous de joyeux jardiniers d'appartement.

Que de niaiseries dites au nom de la botanique. Que d'actes criminels commis inconsciemment par nos apprentis-sorciers secoueurs patentés des bombonnes empoisonneuses. Que de complications afin de conserver une misérable plante d'appartement dans des conditions viables.

La plupart de nos plantes se meurent, rachitiques, sous l'œil inconscient de leur innocent propriétaire, d'où l'urgence d'une «société protectrice des plantes illimitée» calquée sur celle des animaux pour sauver la verdure victime de la science, des jardins botaniques, voire du simple boutiquier fleuriste... du balai! Débarrassons-nous de ces engeances méprisables...

Soyons simples, soyons humains, causons... causons à nos cyclamens, à nos fuchsias, à nos hibiscus, à nos philodendrons. Je parle d'expérience: je dialogue, je dialogue et j'arrose moi! Plus encore... je soliloque! Je soliloque au milieu des pots, prêcheur rassurant, discours infaillible tel un ministre du culte téléévangéliste sur le tas, et les pots craquent! J'inculque jusqu'aux moindres racines les bienfaits de la bonne parole. Les cactus indécents, gênés et poilus poussent à vue d'œil devant les pistils d'une fleur rougissante qu'un hibiscus voisin vient d'ouvrir de façon provocante!

Symphonie géante sous la baguette de mes mots, à moi, tout grandi, informel, dans un craquement général du monde vert en mutation. Ça pète, ça craque, ça gémit, c'est inextricable, c'est inexplicable, c'est une jungle dense que dérange un plafond bas où se coulent encore des tiges qui serpentent vers les endroits les plus humides. Plus de mobilier visible, l'appartement n'est plus qu'une serre humide. De branches en branches, j'arrive quelquefois à retrouver mon lit, mon bureau. Dans la cuisine, un rododendron énorme et vulgaire boit goulûment dans mon évier désormais condamné. Le bol de toilette, débordant de racines, décolle du plancher et laisse filtrer une humidité douteuse mais bienfaisante et nécessaire à ce retour à la terre. Et moi je cause, je cause à toutes les plantes, à tout ce petit monde encombrant qui me submerge voluptueusement avec un sans-gêne incroyable. Et je cause et je cause... et ça grandit, ça grossit.

Il faut savoir quelquefois changer ses habitudes. Aussi, j'ai dû déménager. Les gens ne sont pas bons et le monde est méchant. J'arrose de nuit et... en cachette.

Les gens ne sont pas bons... et mes chers voisins ont laissé courir le bruit que je parlais tout seul! Comment m'expliquer? Des locataires anglophones me regardent dès lors de bizarre façon lorsque je les croise dans l'ascenseur. Comment leur dire que déjà en français cela me semble inénarrable.

J'ai donc décidé de parler à mes plantes tous feux éteints, de nuit, prudent pendant que je les arrose...

Mais il y a là aussi problème. Causer dans le noir, c'est inspirant quand on y met du cœur, mais viser le pot et bien placer l'arrosoir sans clair de lune, c'est un tour de force catastrophique! L'eau déborde... la terre sur le tapis... partout!

C'est terrible pour le plancher! Les racines percent déjà le plafond du voisin du dessous. Les fleurs du tapis se sont mises à décoller dans l'espace! Étonnant! Je ne peux pas dire que c'est laid! Étonnant tout ce mélange d'artificiel et de véritable verdure! J'habite ailleurs, mais toutes les nuits je viens causer à mon jardin fantasque que j'arrose maintenant au boyau. Je l'arrose avec amour, lui racontant mon achat prochain d'une laboureuse japonaise... parce que le printemps, lui, il arrive très vite!

Les concours de circonstances

Marquée par le destin, la famille a glané au cours des années les petites catastrophes qui ont fait le sel de sa vie. D'abord l'enterrement du père, cuisinier aux armées françaises: il fut enterré avec sa popote sous un monceau de terre d'où on l'extirpa, presque vivant, du côté du front de l'est.

Il a été suivi de près par mon frère le boiteux, métamorphosé au tir forain de la libération de Paris, en une joyeuse balle de ping-pong valsant au-dessus du jet d'un extincteur fou.

Viennent ensuite les petits et ridicules accidents, provoqués par la tata Odette, qui ont enjolivé la petite enfance de mes neveux et nièces en attendant quelques catastrophes plus sérieuses dont elle nous garde, sans doute, la primeur. Mon ineffable sœurette est toute remplie d'attention pour nous réserver ce genre de surprise.

Quant à mon frère, quatrième du clan, clown informel, il hanta mes jeunes ans avec des histoires à faire peur au diable lui-même. Non dépourvu de bon sens et sachant que ses radotages me prenaient aux tripes, il me mettait sur mon petit pot pour que je sois plus à l'aise. Grâce à ce confort suprême, je n'ai jamais connu la constipation. René, mon frère, travaillait dans l'automobile. Tout indiscipliné qu'il était, il rendait à la corporation de nombreux services qui lui permettaient en même temps de s'octroyer des privilèges et de se croire son propre patron.

* * *

Un jour, je décidai de lui rendre visite. J'arrivai devant une énorme entrée qu'une porte coulissante fermait le soir. De jour, cette porte ouverte faisait office de climatiseur rafraîchissant la ruche bourdonnante, un atelier de carrosserie. Mon frère y pratiquait toutes sortes de menus travaux. Un atelier grandiose! Cathédrale prolétarienne aux vitraux sans couleur, où le soleil et le tonnerre de Dieu parvenaient à éclairer le labeur de la classe laborieuse qui, en salopette bleue et dans une cadence plus infernale que syndicale, lançait dans l'espace les bruits cacophoniques du cantique des cantiques des «Damnés de la terre».

La canicule vomissait un brouillard de friture dilué dans ce hammam improvisé. L'enfer était au rendez-vous. La chaleur tombait de partout, gluante. Les verrières, enchâssées dans l'armature du toit, réchauffaient comme des loupes l'ensemble de ce tableau apocalyptique. La sueur coulait du front des travailleurs. L'un d'eux, nu comme un ver reluisant, œuvrait confortablement dans une minuscule voiture décapotable. Mon frère, à l'image d'un Étienne Decroux Superstar, me semblait mimer «La résurrection du Christ sortant du tombeau». Une importante serviette de ratine d'un blanc douteux cachait grossièrement tout le bataclan de son appareil reproducteur, avec lequel, du reste, il trafiqua neuf garçons et filles, tous en excellente santé.

Enjambant d'un saut la porte arrière de l'auto-tombeau, il me salua d'un «Ah, te v'là toi!» (Il y avait trois ou quatre ans que je ne l'avais vu.) C'est tout ce qu'il me signifia avant de se figer devant moi droit comme un pic, n'attendant sans doute rien de moins de ma part qu'une pose plus stupide encore que la sienne. J'étais habillé et cravaté. J'étais l'anachronisme de ce rendez-vous manqué et je me sentais plus nu que mon Christ-frère dont le pagne ressemblait davantage à une couche *Pampers* qu'au slip de Jésus-Christ.

Cette tenue biblique lui fut fatale. On ne copie pas impunément l'uniforme des martyrs et, comme Andréa nous le prédisait dans ses moments les plus cafardeux, «il y a une punition pour tout». Ces vérités provoquaient sur notre famille une continuelle méfiance et il fallait suivre à la lettre les oracles de ma mère.

Ce frère irrévérencieux, en marge des autres, de ceux qui écoutaient maman, devait fatalement être puni un jour ou l'autre. Sinon, la marmaille au grand complet aurait déserté et saboté les prédictions dans lesquelles ma mère plaçait toutes ses énergies pour nous faire avaler ses couleuvres.

Donc, un jour, le diable-métallo s'est mis d'accord avec le Saint-Siège pour enfin punir mon frère sacrilège. Les deux parties trafiquèrent les rails qui faisaient glisser l'énorme porte de l'usine. Cette entrée avalait chaque jour sa ration d'ouvriers pour les recracher, fourbus, le soir, et se refermer sans bruit sur un silence enfin retrouvé.

Des sbires spécialisés, ni anges ni démons, préparèrent cette bataille du rail. Ils firent dérailler l'énorme et lourde masse d'acier juste au moment où le punissable passait la petite entrée de service découpée dans la grande...

Au ralenti, comme au cinéma, l'écran de fer se pencha sans que le bas ne bronche d'un pouce, sans bruit, silencieux, hypocrite. La porte se coula sur mon affranchi de frangin, le basculant cul par-dessus tête, plaqué comme une mouche sous ce gros piège à cons, trop lourdement chargé pour pouvoir respirer ou faire un commentaire. Seule sa tête, bêtement cernée par ses deux bouts de chaussures, dépassait de l'extrémité de la porte d'enfer. Le reste de son corps n'existait plus. Il était mangé par la plaque volumineuse qu'essayaient de soulever plusieurs chauffeurs de poids lourds, grognant de rage comme des forcenés, impuissants à dégager le corps de mon pauvre frère. Son ossature, autrefois en trois dimensions, était maintenant aussi plate que celle de la limande. Il avait doublé dans le sens de la largeur, et seul son visage semblait encore se moquer des principes sacro-saints de ma mère. Même à moitié mort, têtu, il refusait d'être comme tout le monde. Une grimace moqueuse de ouistiti, figée dans sa douleur, s'est décalquée depuis, dans tous les sillons de son masque, introuvable ailleurs que sur ses propres épaules.

On l'a ouvert d'un bout à l'autre pour replacer tous les morceaux de ce casse-tête anatomique.

Les chirurgiens ont beaucoup réfléchi avant de refermer le tout qui avait chaviré sens dessus dessous!

Manquait-il un morceau important?

Mon pauvre frère fit une traversée houleuse sur les fortes doses de calmants et, orgueil aidant, il se targue aujourd'hui de n'avoir pas souffert du malheureux cocktail de ses bas morceaux replacés. Cependant, quelques larmes sèches perlent dans le sillon de ses rides innombrables lorsqu'il parle de cette aventure et ces larmes sans douleur restent longtemps à parcourir le visage épanoui de ce clown increvable: mon frère.

ÉPILOGUE OU LE «LAST CALL»

J'aurais voulu mourir passionnément, mais je n'ai qu'une peur bleue devant mon disparaître. La couleur annoncée par mon ineffable trouille aurait dû me rassurer sur les affres de mon devenir. Quand je pense à ce petit catéchisme qui me promettait l'assurance d'une vie dans un ailleurs illustré par des vierges plus bleuissantes que le ciel! Il faudra alors peut-être tout reprendre de zéro.

Alors je plongerais! Je plongerais, sans doute cramponné au missel de ma petite existence, rassuré pour une fois de n'avoir pas oublié, pour mon dernier voyage, ce passeport indispensable et sans photographie qui me permettra de passer les douanes célestes. Et délaissant cette peau vieille de tous mes ans, j'irais vers des ondes incertaines pour redevenir poisson et retrouver quelques eaux maternelles, accueillantes et figées pour un temps de repos illimité.

La mèche de ma vie s'effrite à chaque jour raccourcissant le tempo d'un cœur fatigué qui m'offre en cadeau le sursis de rêver encore, pour m'inventer un au-delà confortable...

Mais tu rêves encore... mon pauvre Buissonneau.

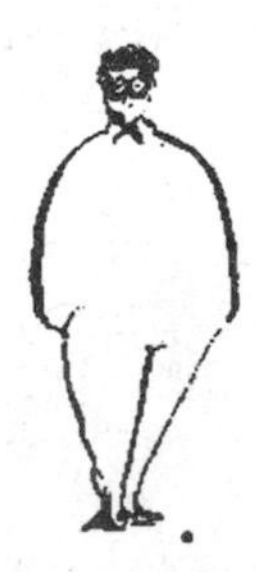

Ce livre est imprimé sur
du papier contenant plus
de 50% de papier recyclé
dont 5% de fibres recyclées.

Achevé d'imprimer au Canada

Imprimerie Gagné Ltée Louiseville